De Hollandse keuken

Dutch Cuisine

Constance Eenschooten / Hélène Matze

De Hollandse keuken

Dutch Cuisine

Fotografie: Henk Brandsen

ATRIUM

Derde druk

Fotografie: Henk Brandsen
Styling: Jeanine Schreuders
Culinaire realisatie: Yvonne Jimmink
Vormgeving en opmaak: Peter Verwey Grafische
Produkties bv, Zwanenburg

Met medewerking van: James Brumfitt en Belles et
Bonnes te Zevenhuizen (groothandel in antiek), Nel van
der Marel van het Nederlands Zuivelbureau en het Pro-
duktschap voor Vis. De foto's aan het begin van de seizoenen werden gemaakt met behulp van dia's van
Herman Scholten.

ISDN 90 6113 863 9   NUGI 421

INHOUD

DE HOLLANDSE KEUKEN

De hele wereld kent Nederland van de zuivelproducten, de handelsgeest en de waterwerken. Holland werd Nederland dankzij het droogleggen van al haar polders (het lage land). De VOC bracht de Nederlanders over de hele wereld voor het drijven van handel. In de polders gedijden de koeien prima en zij gaven veel melk waarmee prachtige kazen werden gemaakt.

Evenals elders in Europa kookte men ook in de lage landen vanaf de middeleeuwen dagelijks brijachtige gerechten. Brijachtige gerechten werden in een pot gekookt, omdat men slechts de beschikking had over een open vuur. Vanaf midden van de negentiende eeuw deden fornuizen (met oven) hun intrede.
De brij bestond voornamelijk uit granen en groenten en vlees of vis indien voorhanden. Het was een dikke substantie omdat hij een flinke bodem in de maag moest leggen, want er werd niet alleen hard gewerkt, de arbeid was bovendien lichamelijk zwaar. Soms werd de brij verdund met melk, wijn of bier. (Water werd in de Middeleeuwen nooit gedronken, dat was niet zuiver genoeg. In plaats van water werd volop bier gedronken.) Een afgeleide van de brij is de stamppot een gerecht waarbij aardappelen, groenten en vlees door elkaar worden gemengd en in een pot bereid. Iedere huisvrouw had haar eigen recept, afhankelijk van de producten die voorradig waren.

Pas aan het eind van de achttiende eeuw deed de aardappel zijn intrede in Nederland en vanaf toen stonden ze drie keer per week op het menu. Door de komst van de aardappel zijn we waarschijnlijk ook met een vork gaan eten. Ze waren immers te heet om met de handen vast te houden. In die tijd was het ook gebruikelijk om ze in spekvet of met een sausje op basis van mosterd en azijn te eten.
Een restje aardappel werd 's avonds voor het naar bed gaan of de volgende ochtend voor het ontbijt opgebakken.

Tot de Tweede Wereldoorlog was er sprake van een traditionele Hollandse keuken. Men was aangewezen op datgene wat het land of het water bood. Er waren natuurlijk grote verschillen tussen de diverse provincies en steden. De maaltijden werden voornamelijk samengesteld met producten uit eigen (groente)tuin of producten van de lokale markt. De Nederlanders stonden en staan nog steeds vooral bekend om hun zuivel en groenten.
Pas na de Tweede Wereldoorlog kwam het vervoer van ingrediënten over de grenzen langzaam op gang en verdween de traditionele keuken meer en meer.

Kort na de Tweede Wereldoorlog verlieten ook vele Nederlanders hun vaderland om een nieuw bestaan in Australië, Canada en Nieuw Zeeland op te bouwen. Van geëmigreerde familieleden kregen wij regelmatig het ver-

DUTCH CUISINE

The Dutch are known the world over for their dairy products, outstanding business instinct and hydraulic engineering. The Provinces of Holland became the country of The Netherlands after the reclamation of the polders (The Low Lands). In the polders cows prospered and gave lots of milk for the making of beautiful cheese. From the early seventeenth century on The East Indian Trade Company took the Dutch all over the world on their trading missions.

In the Middle Ages in The Low Lands, as well as in the rest of Europe, people cooked mush type dishes, prepared in one pot because cooking took place on an open fire. Not till the middle of the nineteenth century did stoves (with ovens) appear. The mush mainly consisted of grains and vegetables with meat or fish added when available. It was a rather thick substance which served to fill the stomach to make the long hours of arduous physical labour possible. Sometimes the mush was diluted with milk, wine or beer. (Water wasn't pure enough, so people never drank water in the Middle Ages. Lots of beer was drunk in stead.) Hotchpotch or "stamppot" derived from the mush: a dish of potatoes, vegetables and meat mixed together and cooked in one pot. Every housewife had her own recipe, depending on products available to her.

The potato was not introduced into The Netherlands till the end of the eighteenth century and from then on potatoes were served at least three times a week. With the introduction of the potato the fork became popular as well. Potatoes were too hot to handle by hand and were served with hot bacon fat or a sauce of mustard and vinegar so a fork became a necessity. Leftover potatoes sometimes were eaten fried just before bedtime or fried the next day for breakfast.

The traditional Dutch Cuisine existed until the second World War. People relied on products from the land or the water around them. Big differences were to be found between the provinces and cities. Meals consisted of products cultivated in private (vegetable) gardens and bought in local markets. Then as well as now, the Dutch were known for their fine vegetables and dairy products. Not until World War II became transport more readily available and thus trade accross the country borders, which resulted in the decrease of the traditional cuisine.

After World War II many Dutch people left the country to build a new life in Australia, Canada and New Zealand. Family members who had emigrated often asked us to send them their favorite Dutch recipes. That is why we were happy to go back in time and collect recipes of typical Dutch dishes. The second generation of emigrants is very much interested in their roots but no longer very familiar with the Dutch language. That is

zoek de bekende Nederlandse recepten op te sturen. Daarom vonden wij het zo leuk om terug in de tijd te gaan en een aantal bekende typisch Nederlandse gerechten te verzamelen. Zo langzamerhand is er een tweede generatie die net zo geïnteresseerd is in hun wortels, maar problemen heeft met de Nederlandse taal. Voor hen schreven wij dit kookboek in zowel Nederlands als Engels.

Heel typerend voor de Hollandse keuken is dat er twee broodmaaltijden en slechts een warme maaltijd per dag worden gegeten. Het ontbijt bestaat uit sneetjes wit of bruinbrood, roggebrood en evt. beschuit met kaas en vleeswaren (ham, worst etc.) en jam, hagelslag en pindakaas als beleg. Op de zondag vaak aangevuld met een hard of zacht gekookt eitje. Tot in de jaren zestig stond bij het merendeel van de Nederlanders de warme maaltijd nog tussen de middag op tafel. Hij bestond uit een voorgerecht (soep), aardappelen, vlees en groenten als hoofdgerecht met een zuiveltoetje als nagerecht. Omdat de auto meer en meer gemeengoed werd en men vaak verder van huis ging werken, verdween de gewoonte om tussen de middag warm te eten. De tweede broodmaaltijd wordt tegenwoordig niet meer rond 18.00 uur 's avonds geserveerd, maar als lunch.

In DE HOLLANDSE KEUKEN vindt u, ingedeeld naar de seizoenen, authentiek Hollandse gerechten met vele moderne variaties. De recepten worden aangevuld met aardige wetenswaardigheden of historische anekdotes, zodat het niet alleen leuk is om te lezen, maar ook uitnodigt om met deze eigentijdse suggesties in de keuken aan de slag te gaan.

Alle gerechten zijn bedoeld voor 4 personen, tenzij anders vermeld.

Constance Eenschooten
Hélène Matze

why we decided to write this book both in Dutch and English.

Typical of Dutch Cuisine is the serving of just one hot meal a day. Breakfast consists of slices of white, whole wheat and dark rye bread, sometimes also with rusks, served with cheese and assorted cold cuts, jam, chocolate sprinkles and peanut butter. On Sundays often with a hard or soft boiled egg. Up until the sixties the hot meal was nearly always served at noon time. The meal started with soup, followed by potatoes, meat and vegetables with a dairy product as dessert. Since more and more people started owning cars and work often took them further away from home, the custom of serving a hot meal in the middle of the day disappeared. Nowadays the hot meal is served around 18.00 hours and lunch is more or less a copy of breakfast.

In DUTCH CUISINE you will find, linked to the four seasons, recipes of authentic Dutch dishes with many modern variations. The recipes are complemented with interesting information on historical anecdotes. This not only makes the book a pleasure to read, it also invites you to go into the kitchen and start preparing these modern day Dutch dishes.

Unless stated differently, all recipes are for 4 persons.

Constance Eenschooten
Hélène Matze

Broodhaantjes / Bread cockerels (p. 31)

Lente
Spring

Lammetjes lopen in de wei. Kalfjes worden geboren en de eerste melk na het kalven wordt biest genoemd. De koeien gaan weer naar buiten en het moment breekt aan voor de bereiding van grasboter en graskaas. Kinderen zijn druk bezig met het optuigen van palmpaasstokken, want Pasen kondigt zich aan. En natuurlijk staan dan de boterlammetjes op de Paastafel. De groenten van de koude grond worden aangevoerd en de asperges gestoken. Kortom de lente is aangebroken.

Little lambs are running in the meadows and calves are born. The first milk from cows after the birth of their calves is called beestings or "biest' in Dutch. Cows are put back to the pasture and it is the time for the production of grass-butter and grass-cheese. Children busily decorate the so called "palmpaasstok" because Easter is arriving. And on the Easter breakfast table there is butter moulded in the shape of lambs. Outdoor grown vegetables are on the market again as well as white asparagus. In short: spring has arrived.

LAMMETJESPAP

60 g bloem
1 liter melk
zout
kaneel
bruine basterdsuiker of stroop

De bloem met een paar eetlepels melk gladroeren. De resterende melk aan de kook brengen en al roerend de aangelengde bloem toevoegen. Al roerend kort doorkoken tot de melk is gebonden.
De pap warm serveren met kaneel en bruine basterdsuiker of stroop.

Variatie:
Vervang de bloem door 5-6 sneetjes verkruimeld oud wittebrood (zonder korst).

LITTLE LAMBS PORRIDGE

60 g flour
1 litre milk
salt
cinnamon
soft brown sugar or treacle

Mix the flour with 2-3 tablespoons of milk. Bring the remaining milk to the boil, whisk the flour mixture in and heat the milk till thickened.
Serve the porridge warm, sprinkled with cinnamon and sugar or treacle.

Variation:
Use 5-6 slices of stale white bread, crust removed, instead of flour.

Biest is de eerste melk van een koe die heeft gekalfd. De melk heeft een lichtgele kleur en is rijk aan eiwitten. Bij het verwarmen stolt biest snel, het schift zelfs al boven de 80 °C en brandt snel aan. Doorgaans wordt biest voor eigen consumptie gebruikt en wordt er biestpannenkoeken (refoelen), biestcake of vla van gemaakt.
Voor *refoelen*, die met name in de omgeving van IJsselmonde werden gegeten, werd biest in een met koud omgespoelde pan op laag vuur in ca. 30 minuten korrelig gekookt. De pan van het vuur nemen en er 4 plakjes ontbijtkoek boven verkruimelen. Vervolgens 1 eetl. kaneel, 100 g geweldde krenten en 4 eetl. lichtbruine basterdsuiker door scheppen. Deze vulling over 4 pannenkoeken of 8 flensjes verdelen. De pannenkoeken dubbelvouwen. In plaats van biest kan ook yoghurt worden gebruikt.

The first milk after calving is called beestings. Soft yellow in colour, the milk is rich in protein. When heated coagulation is quick – curdling occurs around 80 °C – and it burns easily. The farmers don't sell beestings but use it themselves in pancakes, cake or porridge.
For *Refoelen* which are eaten around the city of IJsselmonde, beestings was put in a pot rinsed with cold water and gently heated to a granular substance in approx. 30 minutes. After it had been removed from the fire, 4 slices of gingerbread ("ontbijtkoek") were crumbled into it with 1 teaspoon cinnamon, 100 g soaked currants and 4 tablespoons of soft light brown sugar. This mixture was used as filling for 4 pancakes or 8 crepes, folding the pancakes over the filling. Yoghurt can be used instead of beestings.

GRASKAASBALLETJES IN HET GROEN

200 g graskaas
1 ei
ca. 8 eetl. paneermeel

VOOR DE DRESSING:
1 eetl. witte-wijnazijn
zout, versgemalen peper
1/2 theel. mosterd
3 eetl. olie
200 g gemengde sla
50 g boter

Uit de kaas met een bolletjessteker balletjes steken. Het ei in een kommetje loskloppen. Het paneermeel op een bord strooien. De balletjes eerst door het ei en daarna door het paneermeel wentelen. De handeling herhalen en de kaasballetjes tot gebruik in de koelkast zetten. Van de azijn, zout, peper, mosterd en olie een dressing kloppen. De sla over 4 bordjes verdelen en met de dressing besprenkelen. De boter in een koekenpan met anti-aanbaklaag verhitten en hierin de balletjes snel aan alle kanten bruin bakken. De balletjes over de sla verdelen. De salade direct serveren.

Variatie:
GEBAKKEN KAASPLAK
Van een dikke plak (gras)kaas van ca. 75 g de korsten snijden, de kaasplak eerst door paneermeel, daarna door met 1 eetl. water losgeklopt eiwit halen en tot slot nogmaals door paneermeel. De kaasplak in hete boter aan weerszijden bruin bakken.

LAMSBOUT VOOR 2 DAGEN

1 lamsbout van ca. 1 1/2 kg
125 g reuzel of boter

VOOR DE MARINADE:
1 ui
1 kleine rode Spaanse peper
1 1/2 dl witte-wijnazijn
1 1/2 dl water
10 kruidnagels
4 laurierbladeren
enkele gekneusde peperkorrels
1 eetl. zout

De ui en peper schoonmaken en in ringen snijden en alle ingrediënten voor de marinade in een schaal door elkaar roeren. Het vlees droogdeppen, in de marinade leggen en 24 uur in de koelkast marineren. Het vlees af en toe keren. Het vlees uit de marinade nemen en droogdeppen. De reuzel in een braadpan verhitten, het vlees rondom bruin bakken en met het deksel schuin op de pan in ca. 50 minuten roze bakken. Het vlees uit de pan nemen en de aanbaksels van de panbodem met wat marinade en

GRASS-CHEESE BALLS IN THE GREEN

200 g grass-cheese
1 egg
approx. 8 tbsp. breadcrumbs

FOR THE DRESSING:
1 tbsp. white wine vinegar
salt, freshly ground pepper
1/2 tsp. mustard
3 tbsp. oil
200 g mixed green lettuce leaves
50 g butter

Make cheese balls out of the cheese with the aid of a melon baller. Whisk the egg in a small bowl. Spread the breadcrumbs on a plate. Dip the cheese balls in the egg and turn in the crumbs. Dip and turn once more so that they are completely coated and keep uncovered in the fridge. Whisk vinegar, salt, pepper, mustard and oil together for the dressing. Garnish 4 plates with lettuce and sprinkle with the dressing. Heat the butter in a nonstick frying pan and fry the cheese balls quickly till browned. Divide the balls over the plates and serve immediately.

Variation:
FRIED SLICE OF CHEESE
Cut the rind of a slice of (grass-)cheese of approx. 75 g. Coat the cheese with breadcrumbs, dip it in 1 egg white beaten with 1 tbsp. water and coat once more with breadcrumbs. Quickly brown both sides in hot butter.

LEG OF LAMB FOR 2 DAYS

1 leg of lamb of approx. 1 1/2 kg
125 g lard or butter

FOR THE MARINADE:
1 onion
1 small red chilli
1 1/2 dl white wine vinegar
1 1/2 dl water
10 cloves
4 bay leaves
some crushed peppercorns
1 tbsp. salt

Clean the onion and pepper, cut into strips and mix all ingredients for the marinade in a mixing bowl. Dry the meat with paper towels, put it in the marinade and leave 24 hours in the fridge, turning occasionally. Remove the meat from the marinade and dry it. Heat the lard in a large pan, brown the meat on all sides, partially cover the pan and heat approx. 50 minutes until medium rare. Remove the meat from the pan, stir in some marinade with quite a bit of water to loosen the drippings (a lot of

Kaascroquetjes/Cheese croquettes (p. 14)

een flinke scheut lauw water losroeren. (Er is jus nodig voor de saus van de volgende dag). De jus binden met in een droge koekenpan lichtbruin geroosterd bloem. Voor de 2ᵉ dag van het resterende vlees ragout maken.

Voor de 2ᵉ dag: Lamsragout

Voor een Spaanse saus (Sauce Espagnol) 4 dl jus met een scheutje water, 1 klein fijngesnipperd uitje, 1 Spaans pepertje, 1 kleingesneden worteltje, 2 laurierblaadjes en 4 kruidnagels 20 minuten zachtjes laten trekken. Intussen 45 g bloem in een droge koekenpan lichtbruin roosteren. Het vocht zeven. Van 30 g boter, de ''bruine'' bloem en het vocht een rouxsaus maken. Het resterende en kleingesneden lamsvlees in de saus opwarmen en de ragout op smaak brengen met worcestersaus en evt. een lepeltje stroop.

Het beste lamsvlees komt van lammeren die gemiddeld 2 tot 5 maanden oud zijn. Zuiglam is nog jonger lam dat de primeur van het voorjaar is en slechts korte tijd verkrijgbaar is. De echte lamsvlees liefhebber kiest voor vers Texelse lamsvlees, omdat deze lammeren in de zeewind grazen op zilte weilanden of schrale duingronden. En de enigszins zilte smaak proef je terug in Texels lamsvlees. Overigen komt het meeste lamsvlees diepgevroren uit Nieuw Zeeland.

KAASCROQUETJES
CA. 10 STUKS

25 g boter
30 g bloem
2 dl melk of 1 1/2 dl melk en 1/2 dl slagroom
200 g geraspte oude kaas
zout, peper
1 ei
paneermeel
frituurvet
takjes peterselie

Van de boter, de bloem en de melk een rouxsaus maken. De kaas erdoor roeren en alles verwarmen tot de kaas is opgelost. Het mengsel op smaak brengen met zout en peper en laten afkoelen op een met koud water omgespoeld diep bord.
Met 2 met water omgespoelde eetlepels gladde croquetjes vormen en deze met de hand aan weerszijden plat drukken. Het ei met 1 eetlepel water op een bord loskloppen. Op een ander bord paneermeel strooien. De croquetjes achtereenvolgens door paneermeel, ei en paneermeel rollen. De croquetjes in heet frituurvet (180 °C) bruin bakken. Met een schuimspaan uit de pan nemen en laten uitlekken op keukenrolpapier. Serveren met takjes gefrituurde peterselie.

gravy is needed). Thicken the sauce with flour that has been browned in a dry frying pan. Use leftover meat the next day for ragout.

The second day: Ragout of lamb

For a Spanish sauce or Sauce Espagnol gently cook 4 dl gravy diluted with a little water, 1 small onion, 1 small red pepper and 1 small carrot, diced, 2 bay leaves and 4 cloves for approx. 20 minutes. Brown 45 g flour in a dry frying pan. Strain the gravy. Make a roux-based sauce with 30 g butter, the browned flour and the gravy. Cube the leftover lamb and heat the meat in the sauce. Add Worcestershire sauce and a small teaspoon of treacle to taste, if wanted.

The meat of lamb comes from lambs between the age of 2 and 5 months. Suckling lamb is younger still and a speciality only available for a short time in the spring. The Dutch connoisseur chooses fresh lamb from the isle of Texel where lambs graze on saline meadows or arid dunes in the sea breeze. The meat is said to taste somewhat salty because of this. However, most lamb eaten nowadays in Holland comes deep frozen from New Zealand.

CHEESE CROQUETTES
MAKES APPROX. 10

25 g butter
30 g flour
2 dl milk or 1 1/2 dl milk and 1/2 dl double cream
200 g grated old cheese
salt, pepper
1 egg
breadcrumbs
fat for deepfrying
sprigs parsley

Make a roux-based sauce with the butter, flour and milk. Spoon in the cheese and gently heat till melted. Season with salt and pepper and leave to cool in a soup plate rinsed with cold water.
Form smooth croquettes with the aid of two spoons rinsed with cold water and flatten the ends by hand. In a plate beat the egg with 1 tablespoon water. Spread the breadcrumbs on another plate. Roll the croquettes through the breadcrumbs, dip in beaten egg and roll through breadcrumbs once more. Fry the croquettes golden brown in fat of 180 °C. Remove with a slotted spoon and drain on paper towels. Serve with sprigs of deep fried parsley.

Variaties:
KAASRAGOUT

Van 50 g boter, 50 g bloem en $1/2$ liter melk een rouxsaus maken. De ragout op smaak brengen met zout en peper en van het vuur af 200 g in dobbelsteentjes gesneden kaas met fijngehakte peterselie erdoor roeren.

KAASKRANS

Van 25 g boter en 30 g bloem en 2 dl melk een rouxsaus maken. Er 150 g geraspte oude kaas en 1 eetl. gedroogde Italiaanse kruiden of 1-2 eetl. rode pesto en 1 losgeklopt ei door roeren en de saus op smaak brengen met zout en peper. Het mengsel in een ingevette en met paneermeel bestrooide ringvorm (24 cm doorsnede) overdoen en in een passende ovenvaste schaal met heet water gevuld in ca. 35 minuten goudbruin en gaar bakken in een hete oven (190 °C). De krans op een schaal storten en het midden opvullen met een gemengde groene salade.

GROENE SALADE MET KAAS

In een slabak 75 g veldsla met 2 in reepjes gesneden struikjes witlof, de partjes van 2 mandarijntjes, 100 g in blokjes gesneden pikante kaas en 100 g in reepjes gesneden salami vermengen. Een dressing maken van 4 eetl. olie, 2 eetl. witte-wijnazijn, mosterd, honing en zout en peper naar smaak. De dressing voorzichtig door de sla scheppen.

Variations:
RAGOUT OF CHEESE

Make a roux-based sauce with 50 g butter, 50 g flour and $1/2$ litre milk. Remove from heat and add 200 g cheese cut up in small cubes, with chopped parsley and salt and pepper to taste.

CHEESE RING

Make a roux-based sauce with 25 g butter, 30 g flour and 2 dl milk. Stir in 150 g grated old cheese, 1 tbsp. dried Italian spices or 1-2 tbsp. red pesto and 1 beaten egg. Season with salt and pepper. Butter and coat a ring-mould of 24 cm with breadcrumbs and spoon the sauce into it. Place the ringmould in an ovenproof dish filled with hot water and bake approx. 35 minutes at 190 °C till golden brown and done. Turn the ring onto a plate and fill the centre with mixed green salad.

GREEN SALAD WITH CHEESE

In a salad bowl mix 75 g lamb's lettuce with 2 heads of chicory cut into thin strips, the segments of 2 tangerines, 100 g strong, cubed cheese and 100 g juliene of salami. Make a dressing with 4 tbsp. oil, 2 tbsp. white wine vinegar, mustard, honey and salt and pepper to taste. Mix the dressing carefully into the salad.

GRAS- EN MEIKAAS

Graskaas wordt gemaakt van de allereerste melk van koeien die weer naar buiten mogen en het malse gras kunnen eten. Het jonge gras is rijk aan caroteen, een stof die aan kaas zijn gele kleur geeft en die in het lichaam tot vitamine A wordt omgezet. Graskaas heeft een milde, romige smaak en is na 4 weken rijpen begin juni te koop.
Verse meikaas is een zachte kaas, die er uitziet als Goudse kaas, maar geen rijping heeft ondergaan. Hij is herkenbaar aan zijn witte kleur en zachte structuur. Het verhaal gaat dat de boeren zo uitzagen naar de lente en zo'n haast hadden om de eerste kaas te proeven dat ze de witte, nog slappe wrongel niet lieten rijpen. Verse meikaas wordt nog steeds op enkele boerderijen gemaakt.

GRASS- CHEESE AND MAY-CHEESE

Grass-cheese is made in springtime from the first milk of the cows allowed back outside again. The new grass is rich in carotene which colours the cheese yellow and is converted into vitamin A in the human body. Grass-cheese is mild and creamy in taste and sold after only 4 weeks of ripening early in June.
Fresh May-cheese is a soft white cheese that looks like Gouda cheese, without the ripening. The story goes farmers were so anxious for spring to arrive and in such a hurry to taste the new cheese they didn't allow for ripening of the soft, white curd. May-cheese still is made on some Dutch farms.

Kaaskoppen

Nederlanders worden in het buitenland niet voor niets kaaskoppen genoemd. Al sinds de Middeleeuwen wordt in de lage landen kaas gemaakt. Vooral Edammer en Goudse kaas zijn bekend. Hoewel de meeste Nederlandse kaassoorten in de fabriek worden gemaakt, zijn er met name in de omgeving van Leiden nog steeds een aantal kaasboerderijen waar boerenkazen worden bereid.

"Kaaskoppen" or cheese-heads

This nickname for the Dutch is easy to explain. Since the early Middle Ages the Dutch have produced cheese and are known the world over for the Edam and Gouda cheese. These days most cheeses are manufactured in factories, however cheese-producing farmers are still to be found in the neighbourhood of the city of Leiden.

Asperges met eieren en gewelde boter / Asparagus with eggs and drawn butter (p.18)

ASPERGES MET EIEREN EN GEWELDE BOTER
LIMBURG

2 kg asperges
zout
200 g boter
4 hardgekookte eieren
evt. grof gehakte peterselie of kervel

Een stukje van de onderkant van de asperges snijden. De asperges vanaf de kop naar onderen met een dunschiller of aspergemesje schillen, wassen en in bosjes van ca. 10 stuks binden. De asperges in een (asperge)pan met de kopjes boven in kokend water met zout en scheutje melk in ca. 25 minuten beetgaar koken. Intussen de boter met een garde of foodprocessor tot room roeren en druppelsgewijs 2 dl lauwwarm water toevoegen. De asperges uit de pan nemen, de touwtjes verwijderen en ze met de koppen naar een kant op de aspergeschaal evt. in een schoon linnen servet leggen. De asperges met de gewelde boter en hardgekookte eieren serveren. Met peterselie of kervel bestrooien.

Variaties:
ASPERGEMOUSSE MET GEROOKTE ZALM
Ca. 500 g asperges schoonmaken, punten van ca. 3 cm afsnijden, de asperges gaar en de punten beetgaar koken. In ruim koud water 6 blaadjes gelatine weken. De punten voor de garnering achterhouden, de resterende asperges pureren. De gelatine in 2 eetl. witte wijn verwarmen tot ze is opgelost. Het gelatinemengsel met 200 ml crème fraîche door de puree scheppen en de mousse op smaak brengen met zout en peper. De mousse in eenpersoonssoufflépotjes in de koelkast laten opstijven. De mousse op een bordje storten en het geheel met de punten en gerookte zalm garneren.

ROERGEBAKKEN ASPERGESALADE MET WARME DRESSING
Over 4 bordjes een handje gemengde groene sla verdelen. Een dressing kloppen van 3 eetl. olie, 1 eetl. wittewijnazijn, 1 uitgeperst teentje knoflook, 1 theel. Chinese chilisaus, scheutje gembersiroop en zout en peper naar smaak. Ca. 250 g groene asperges in schuine, dunne repen snijden. In een wok 2 eetl. olie met een druppel sesamolie verhitten, de asperges kort roerbakken en 100 g in plakjes gesneden shiitake toevoegen. De groenten kort roerbakken. Het aspergemengsel op de sla leggen en garneren met enkele pecannoten.

ASPARAGUS WITH EGGS AND DRAWN BUTTER
PROVINCE OF LIMBURG

2 kg white asparagus
salt
200 g butter
4 hard-boiled eggs
optional: coarsely chopped parsley or chervil

Cut a piece from the end of each asparagus. Remove the skin from top to bottom with a peeler or special asparagus knife, rinse and tie the asparagus in bunches of 10. Stand the asparagus with their tips sticking out in an (asparagus) pot in boiling water with salt and a little milk added and cook approx. 25 minutes till tender but firm. Meanwhile cream the butter with a whisk or in the food processor and slowly add 2 dl lukewarm water. Drain the asparagus, discard the string and place the asparagus on a serving dish (on a clean, linen napkin if wanted) with the tips to one side. Serve with drawn butter and chopped hard-boiled eggs. Sprinkle with parsley or chervil.

Variations:
MOUSSE OF ASPARAGUS WITH SMOKED SALMON
Clean approx. 500 g white asparagus and cut a 3 cm tip off. Cook the asparagus stalks till soft and the tips are al dente. Soften 6 sheets of gelatine in cold water to cover. Reserve the asparagus tips for garnish and mash the stalks. Melt the squeezed gelatine in 2 heated tbsp. white wine vinegar. Spoon the melted gelatine with 200 g crème fraîche through the asparagus puree with salt and pepper to taste. Pour into individual moulds and let set in the fridge. Turn out onto individual plates and garnish with asparagus tips and smoked salmon.

STIRFRIED ASPARAGUS WITH A WARM DRESSING
Divide some mixed green salad leaves over 4 plates. Whisk a dressing of 3 tbsp. oil, 1 tbsp. white wine vinegar, 1 crushed garlic clove, 1 tsp. Chinese chillisauce, a little ginger syrup, salt and pepper to taste. Diagonally slice approx. 250 g green asparagus into thin strips. Heat 2 tbsp. oil with a drop of sesame-oil in a wok, stirfry the asparagus, add 100 g sliced shiitake mushrooms and stirfry a few more minutes. Spoon the asparagus mixture onto the plates and garnish with halved pecans.

In oude uitgaven van het Wannée kookboek wordt er onderscheid gemaakt tussen gewone bouillon en drinkbouillon. Voor een drinkbouillon werd de dubbele hoeveelheid soepvlees (500 g) gebruikt. Ook werd toen het vlees voor de bereiding gewassen, omdat er onder minder hygiënische omstandigheden in de slagerij werd geslacht. Tegenwoordig wordt al het vlees in speciale slachterijen uitgebeend. Toen ook werd bouillon met deksel op de pan getrokken omdat anders de verrukkelijke geuren verdwenen. Tegenwoordig wordt bouillon zonder deksel gekookt om de vloeistof beter tegen de kook aan te kunnen houden. Na het trekken wordt de bouillon op smaak gebracht met zout, omdat zout anders voorkomt dat het vlees zijn aroma loslaat.

Vroeger stond in veel gezinnen elke zaterdag een pan bouillon op het petroleumstel te trekken en werd van het soepvlees uit zuinigheidsoverwegingen de volgende dag ragout gemaakt.

At the start of the twentieth century a famous Dutch cookbook makes a distinction between regular stock and broth for drinking. For the last the amount of meat is doubled to 500 g.

In those days meat was rinsed before using, since butchers didn't slaughter under very hygienic conditions. In our time all meat is butchered in special slaughterhouses.

Stock was made with a lid on the pot to prevent the 'wonderful flavours' from disappearing into thin air. This is a myth and since it is much easier to keep broth below boiling point (to prevent clouding) without a lid, this is how it is done nowadays. Add salt to stock after cooking, since salt prevents meat from giving off flavour.

In the old days traditionally each Saturday many families had a pot of soup simmering on the oil cooker and to be economical, the meat was turned into a ragout the next day.

KERVELSOEP MET RIJSTEBLOEM

1 liter bouillon (zelfgetrokken)
2-3 bosjes kervel (300 g)
3 eetl. rijstebloem
1 dl koffie- of slagroom
3 eetl. fijngehakt bieslook
zout, peper

De bouillon aan de kook brengen. Intussen de kervel wassen en fijnsnijden. De rijstebloem met 3 eetlepels room gladroeren. De bouillon binden met de aangelengde rijstebloem en de soep 5 minuten zachtjes doorkoken. De room erdoor roeren en vlak voor het serveren de kervel en het bieslook. De soep op smaak brengen met zout en peper. (De kervel en bieslook niet laten meekoken.)

Variatie:
HELDERE KERVELSOEP
De kervel en het bieslook met een losgeklopt ei door de hete bouillon roeren. Direct opdienen.

CHERVIL SOUP WITH RICE FLOUR

1 litre (homemade) beef stock
2-3 bunches of chervil (300 g)
3 tbsp. rice flour
1 dl single or double cream
3 tbsp. chopped chives
salt, pepper

Bring the stock to the boil. Rinse and chop the chervil. Mix rice flour with 3 tablespoons of cream, thicken the soup and heat 5 minutes on low heat. Add remaining cream, chervil and chives with salt and pepper to taste just before serving. (Boiling destroys the taste of chervil and chives.)

Variation:
CLEAR CHERVIL SOUP
Whisk chervil with one beaten egg into clear, hot stock. Serve immediately.

POTERS EN BRADERS
Vroeger werden met poters kleine aardappelen bedoeld. In Utrecht en Brabant worden nieuwe kleine aardappelen nog steeds potertjes genoemd. Als de familie bijeen kwam werden poters in de schil in heet spekvet gebakken, opgediend met gewelde boter en zout en gedronken met bier. Bij het gerecht potjebrajers werd na het wassen een plakje van de onder- en bovenkant gesneden, de aardappelen werden daarna gekookt en tot slot in heet vet gebakken. Ze werden geserveerd bij kinderverjaardagen met thee en een beschuitje met suiker toe.

"POTERS AND BRADERS"
In the past small potatoes were called "poters". In the Provinces of Utrecht and Brabant new, small potatoes are still called "potertjes" (small poters). At family get togethers these jacket potatoes were fried in hot bacon fat and served with drawn butter, salt and beer.

For the dish "potjebrajers" a slice was cut from both ends of the potatoes, after which they were first boiled and then deep fried. These potatoes were served with tea at children's birthday parties, followed by a dessert of rusks sprinkled with sugar.

KRIELAARDAPPELTJES MET SPEK

1 kg krielaardappeltjes
150 g spekblokjes
1 eetl. fijngehakte peterselie
evt. boter

De krielaardappeltjes wassen, schoonboenen en in een bodempje kokend water 10 minuten voorkoken. Afgieten en droogstomen. Het spek in een braadpan langzaam uitbakken tot het krokant is. Het spek met schuimspaan uit de pan nemen, evt. wat boter toevoegen en de aardappeltjes op hoog vuur snel bruin bakken. Het spek met de fijngehakte peterselie erdoor roeren.

Variatie:
ROZEMARIJNAARDAPPELEN

1 Kg schoongeboende aardappelen halveren en elke helft in 8 partjes snijden. De partjes aardappel in een bodempje water 10 minuten koken. Afgieten en droogstomen. Intussen 1 dl (olijf)olie, 1 eetl. rozemarijnblaadjes en peper naar smaak door elkaar roeren. De aardappelen overdoen in een braadslede, met zout bestrooien en de olie er overgieten. De aardappelen in een warme oven (175 °C) in ca. 25 minuten bruin bakken.

Tegenwoordig kunnen we in tegenstelling tot een aantal jaren geleden weer aardappelen in de schil eten. Dat komt omdat er nu, evenals vele jaren geleden, veel minder bestrijdingsmiddelen worden gebruikt. Bekend van bestrijdingsmiddelen is dat deze op of net onder de schil blijven zitten. Bovendien mag er vlak voor het aardappelen rooien niet meer gespoten worden.

SMALL NEW POTATOES WITH BACON

1 kg small new potatoes
150 g cubed bacon
1 tbsp. chopped parsley
butter if needed

Scrub the potatoes, rinse and parboil 10 minutes in a little water. Strain and steam dry. Slowly fry the bacon till crisp. Remove bacon with a slotted spoon, add some butter to the pan if necessary and fry the potatoes quickly on high heat till golden brown. Spoon in bacon and chopped parsley.

Variation:
ROSEMARY POTATOES

Cut 1 kg scrubbed potatoes in half and cut each half into 8. Parboil 10 minutes in a little water. Strain and steam dry. Meanwhile whisk together 1 dl (olive)oil, 1 tbsp. rosemary leaves and freshly ground pepper to taste. Spread the potatoes in a roasting tin, sprinkle with salt and pour over the oil. Roast approx. 25 minutes in a 175 °C oven.

It has recently become possible again to eat potatoes with their skin on because -compared to former years – fewer pesticides are being used. Another reason is that chemicals are no longer sprayed just before harvesting. Weed killers used to remain on and just below the skin of the potato.

EIERBOTER

200 g ongezouten spek
4 eieren
5 dl melk
6 beschuiten
zout, peper

Het spek in blokjes snijden en in een koekenpan langzaam uitbakken. Intussen de eieren loskloppen en de melk erdoor roeren. De beschuiten verkruimelen en aan de melk toevoegen. Het uitgebakken spek aan het melkmengsel toevoegen, alles terug in de pan doen en kort bakken. De eierboter op smaak brengen met zout en peper. Serveren bij gekookte andijvie.

EGG-BUTTER

200 g unsalted bacon
4 eggs
5 dl milk
6 rusks
salt, pepper

Cube the bacon and slowly brown it in a frying pan. Whisk the eggs and add the milk. Crumble the rusks and add to the egg mixture with bacon and bacon fat. Pour back into the frying pan and heat till thickened. Season with salt and pepper. Serve with boiled endive.

VLIEGENZWAMMEN

4 eieren
mayonaise
2 middelgrote tomaten
zout, peper

De eieren hardkoken en laten afkoelen. De eieren pellen en van de spitse kant de bovenkant snijden. De dooiers eruit wippen, door een zeef wrijven en met 2-3 eetlepels mayonaise en zout en peper naar smaak vermengen tot een stevige substantie. Van de onderkant een klein stukje snijden, zodat de eieren blijven staan. De eieren vullen met het dooiermengsel. De tomaten ontvellen, halveren en als een hoedje op elk ei zetten. Het resterend eiwit kleinsnijden en over de hoedjes strooien.

Variaties:
GEVULDE EIEREN MET PESTO
6 Hardgekookte eieren doorsnijden, de dooiers vermengen met 75 g zachte boter en 1-2 eetl. groene pesto. Het dooiermengsel in de eiwitten spuiten. De eieren garneren met reepjes verse basilicum.
GEVULDE EIEREN MET MOSTERD EN DRAGON
6 Hardgekookte eieren doorsnijden, de dooiers vermengen met 75 g zachte boter, mosterd en $1/2$ theel. fijngehakte dragon. Het dooiermengsel in de eiwitten spuiten.
GEVULDE EIEREN MET ANSJOVIS EN KAPPERTJES
6 Hardgekookte eieren doorsnijden, de dooiers vermengen met 75 g zachte boter en 6 fijngewreven ansjovisfilets. Het dooiermengsel in de eiwitten spuiten.

FLY AGARIC

4 eggs
mayonaise
2 medium sized tomatoes
salt, pepper

Hard-boil the eggs and let cool. Peel the eggs and cut enough off the pointed side to remove the yolk. Work the yolks through a sieve and mix with 2-3 tbsp. mayonnaise and salt and pepper to taste for a creamy stuffing. Cut a small piece from the end of each egg so it will stand. Stuff the eggs with the yolk mixture. Remove the skin from the tomatoes, cut them in half and place them like a hat on the stuffed eggs. Dice the remaining egg white and sprinkle over the tomato hats.

Variations:
DEVILLED EGGS WITH PESTO
Cut 6 hard-boiled eggs in half lengthway, mash the yolks with 75 g softened butter and 1-2 tbsp. green pesto. Pipe the yolk mixture into the egg whites and garnish with strips of fresh basil.
DEVILLED EGGS WITH MUSTARD AND TARRAGON
Cut 6 hard-boiled eggs in half lengthway, mash the yolks with 75 g softened butter, mustard and $1/2$ tsp. chopped tarragon. Pipe the yolk mixture into the egg whites.
DEVILLED EGGS WITH ANCHOVIES AND CAPERS
Cut 6 hard-boiled eggs in half lengthway, mash the yolks with 75 g softened butter and 6 mashed anchovies. Pipe the yolk mixture into the egg whites.

ZOETE SCHUIMOMELET

6 eieren
35 g suiker
zout
25 g boter
poedersuiker

De eieren splitsen, de dooiers met de suiker dik, wit en luchtig kloppen. De eiwitten met een snufje zout in een vetvrije kom stijfslaan. De dooiers door het eiwit scheppen. De boter in een koekenpan lichtbruin laten worden. Het eimengsel in de pan overdoen, zachtjes bakken tot de onderkant lichtbruin is. Een deksel op de pan leggen en bakken tot de bovenkant droog en gaar is. De omelet op een platte, voorverwarmde schaal laten glijden, dubbelklappen en met poedersuiker bestrooien.

Variatie:
SCHUIMOMELET MET RUITJES
Een metalen (brei)pen in de gasvlam gloeiend heet laten worden en op de poedersuiker leggen tot deze bruin kleurt. Doorgaan tot de bovenkant een ruitjespatroon heeft.

SWEET SOUFFLÉ OMELETTE

6 eggs
35 g sugar
salt
25 g butter
icing sugar

Separate the eggs and beat the yolks with the sugar till thick, airy and light. Beat whites with a little salt in a fat free mixing bowl till stiff and fold in the yolks. Lightly brown the butter in a frying pan. Pour in the omelette mixture and cook over low heat till golden brown on the bottom. Put a lid on the pan and gently heat till the omelette is dry. Fold the omelette onto a preheated serving dish, sift over icing sugar and serve immediately.

Variation:
SOUFFLÉ OMELETTE WITH SQUARES
Heat an iron knitting needle in a gasflame till very hot and burn the sugar with it into a diamond square pattern.

BOTERLAMMETJES
ZUID HOLLAND

houten botervormpje
ca. 100 g boter
zout

Het houten botervormpje voor gebruik een uur met veel zout in koud water leggen. Beide helften met boter vullen. De boter goed aandrukken en de helften stevig tegen elkaar drukken. De boter in de koelkast leggen. Het boterlammetje voorzichtig uit de vorm halen.

Boterlammetjes horen met Pasen op de ontbijttafel. Het ontstaan van de boterlammetjes stamt uit de zeventiende eeuw en komt oorspronkelijk uit de Krimpenerwaard. Boeren uit deze streek boden deze feestelijke (gras)boterlammetjes aan hun landheer en notabelen aan. De houten vormen werden hiervoor in de wintermaanden uit beukenhout gesneden.
Overigens wordt door folklorekenners vermoed dat de boeren van de Krimpenerwaard een oeroud Germaans gebruik om in de lente dieren aan de Goden van de vruchtbaarheid te offeren hiermee in ere herstelden.

BUTTER-LAMBS
PROVINCE OF ZUID-HOLLAND

wooden butter mould
approx. 100 g butter
salt

Soak the wooden mould for 1 hour in cold water with a lot of salt. Firmly fill both halves with butter and put the two together. Place the mould into the fridge to harden the butter. Carefully remove the butter-lambs from the mould.

Butter-lambs belong on the Easter breakfast table. They originate in a polder south of Rotterdam, called "Krimpenerwaard". In the 17th century farmers presented these festive (grass-)butter-lambs to their landlords. The wooden moulds were cut from birchwood in wintertime.
Folklore experts suggest that the farmers revived an old Germanic rite of offering animals to their Gods of fertility in springtime.

MEIRAAPJESSOEP MET GARNALEN

500 g meiraapjes
3 teentjes knoflook
50 g rijst
3/4 liter melk
1/2 theel. tijm
zout, versgemalen peper
15 g boter
100 g gepelde Hollandse garnalen
1 eetl. fijngehakte peterselie

De meiraapjes schillen en in plakjes snijden. De knoflook pellen en fijnsnipperen. De rijst wassen, de melk aan de kook brengen en de rijst toevoegen en 10 minuten zachtjes laten koken. De meiraapjes met knoflook, zout, peper en tijm aan de melk toevoegen en 30 minuten zachtjes laten koken. De soep in een foodprocessor pureren. De boter erdoor roeren en evt. op smaak brengen met zout en peper. De garnalen toevoegen en in de soep warm laten worden. De soep direct opdienen en garneren met peterselie.
Zie ook Garnalen uit Stellendam, p. 26.

TURNIP SOUP WITH SHRIMP

500 g turnips
3 cloves garlic
50 g rice
3/4 litre milk
1/2 tsp. thyme
salt, freshly ground pepper
15 g butter
100 g peeled Dutch shrimp
1 tbsp. chopped parsley

Peel and slice the turnips. Peel and finely chop the garlic. Wash the rice, bring the milk to a boil, add the rice and heat 10 minutes on low heat. Add the turnips, garlic, salt, pepper and thyme and simmer 30 minutes. Puree the soup in a food processor and stir in the butter. Taste and add salt and pepper if necessary. Add the shrimp and heat through. Serve the soup immediately, garnished with parsley.
See also Shrimp from Stellendam, p. 26.

Meiraapjessoep met garnalen / Turnip soup with shrimp

GARNALEN UIT STELLENDAM

Stellendam is de aanvoerhaven voor de Hollandse garnaal. Het is de lekkerste onder de kleine tot middelgrote garnalen. Het merendeel verdwijnt overigens naar België en wordt daar onder de naam grijze garnaal verkocht. Garnalen worden het gehele jaar door gevangen, maar de grootste aanvoer is tussen juni en december. Volgens kenners zijn ze het lekkerst vanaf het einde van de zomer tot in november.

Wie zelf garnalen wil pellen moet rekenen op 500 g ongepelde garnalen voor 150 g gepelde.

SHRIMP FROM STELLENDAM

Stellendam is the fishing port for Dutch shrimp. It is the nicest of the small to medium sized shrimp. Most are shipped off to Belgium where they are sold under the name of Belgian grey shrimp. Shrimp is caught all year round, the largest supply however is between June and December. Experts claim the best shrimp are caught from the end of summer till November.

When peeling shrimp, 500 g with shell is needed to make 150 g peeled shrimp.

ANSJOVISSNACK

6 ansjovisfilets
melk
4 sneetjes casinobrood
50 g boter
1 hardgekookt ei
1 eetl. fijngehakte peterselie

De ansjovisfilets een uurtje in wat melk ontzilten. De filets laten uitlekken, droogdeppen met keukenpapier en door een paardenharen zeef wrijven. De vispuree met de boter tot een glad mengsel roeren. Het brood in de oven onder een hete grill roosteren. De korstjes van het brood snijden en de sneetjes in driehoekjes snijden. De driehoekjes met ansjovisboter besmeren maar zorg er daarbij voor dat het midden hoog opgewerkt is. De snacks garneren met fijngeprakt eiwit of verkruimeld eierdooier en peterselie.

ANCHOVY SNACK

6 anchovy fillets
milk
4 slices of white bread
50 g butter
1 hard-boiled egg
1 tbsp. chopped parsley

Soak the anchovy fillets for about one hour in milk, drain, pat dry with paper towels and put the fillets through a sieve made of horse hair. Stir in the butter to form a paste. Cut the crusts from the bread and toast it under a hot grill. Cut the toast in squares and spread with anchovy butter, forming a mould in the centre. Garnish with chopped white of egg or pureed egg yolk.

ANSJOVIS

Eens was Bergen op Zoom bekend om z'n in houten pekelvaatjes ingemaakte ansjovis. Ansjovis hoort normaal gesproken thuis in warme streken, maar kwam vroeger naar de wateren van de Oosterschelde en de warme Zuiderzee om te paaien. Ansjovis werd met sleep- en drijfnetten in de Zuiderzee gevangen. In Harderwijk begon men tegen het einde van de zeventiende eeuw met het inleggen van ansjovis. De ansjovissen werden toen voornamelijk door kinderen schoongemaakt. Tegenwoordig worden ze voornamelijk geïmporteerd uit het Middellandse zeegebied. Ze zijn in pekel en in olie al dan niet opgerold met een kappertje verkrijgbaar.

ANCHOVIES

The city of Bergen op Zoom used to be known for its anchovies cured in wooden kegs. Anchovies are caught in warm waters but in the past they came to the Oosterschelde and Zuiderzee to spawn. In the Zuiderzee the anchovies were caught with dragnets and driftnets and they were cleaned, mostly by children. Nowadays they are imported from the Mediterranean. They are sold filleted and cured, packed in oil often rolled around a caper.

HARING

Al eeuwenlang wordt door Nederlanders op haring in de Noordzee gevist. De haring werd aan boord schoongemaakt en door snelzeilende jagers aan wal gebracht. Rond 1800 gebruikten men platbodems, omdat ze met deze schepen gemakkelijk op het strand van Noordwijk, Katwijk, Zandvoort, Egmond en Scheveningen konden landen. Om haring lang houdbaar te maken, werd ze aan boord na het kaken (ontdoen van kieuwen, ingewanden en keel) gezouten, zodat men de gehele winter over haring beschikte.

In de jaren zestig verdween deze conserveermethode door de komst van diepvriezers. Nog steeds wordt haring aan boord gekaakt en licht gezouten. Vervolgens gaat ze 24 uur in tonnen en vindt het rijpingsproces plaats. Tot slot worden ze in tonnen van 6 kg overgepakt en ingevroren.

VLAGGETJESDAG

Vlaggetjesdag is de dag waarop vroeger de start van de haringvisserij in Scheveningen werd gevierd. De schepen werden toen op de zaterdag voor Pinksteren met vlaggen versierd. Op tweede pinksterdag (de eerste pinksterdag was immers de dag des Heren) ontmoetten alle Scheveningers elkaar op de kade van de haven, voordat zij de volgende dag zouden uitvaren. Voor de arme vissersbevolking betekende dat het begin van betere tijden. Na de oorlog werd vlaggetjesdag op de laatste zaterdag in mei gehouden. Tegenwoordig wordt niet meer het uitvaren van de vloot, maar de komst van nieuwe haring gevierd. Niet alleen in Scheveningen, maar ook in dorpen aan het IJsselmeer (Volendam en Spakenburg) wordt de komst van de Hollandse Nieuwe (de eerste haring die is gevangen) gevierd. Vanaf half mei tot begin juli wordt er op maatjesharing of 'groene' haring gevist. Vanaf augustus tot en met oktober wordt de haring die wordt gevangen gerookt (kipper), gestoomd (bokking), gemarineerd of tot rolmops verwerkt.

HARING EN KORENWIJN

Van oudsher wordt bij haring korenwijn (allerbeste graanjenevers) gedronken. Ook witbier past door zijn kruidenaroma met een licht korianderaccent en subtiele sinaasappelsmaak goed bij haring.

HERRING

The Dutch have been fishing the North Sea for herring since centuries. The herring was cleaned on board and brought ashore by fast sailingships. Around 1800 these ships were flat bottomed so they could land easily on the beaches of Noordwijk, Katwijk, Zandvoort, Egmond en Scheveningen. To be able to keep the herring it was salted on board after cleaning or "kaken": removal of gills, guts and throat. This way the herring could be eaten all winter.

In the sixties this mode of conserving disappeared with the arrival of deepfreezers. The herring still is cleaned on board, lightly salted and kept in kegs for 24 hours to ripen. They are then repacked in kegs of 6 kg and frozen.

"VLAGGETJESDAG SCHEVENINGEN"

The start of the herring fishery used to be celebrated on "Vlaggetjesdag". The ships were decorated with flags on the Saturday prior to Whit Sunday. On Whit Monday (Whit Sunday of course was dedicated to God) every inhabitant of Schevingen met on the quay, the day before the boats were to leave the harbour. To the poor fishing community it was the start of better times. After World War II "Vlaggetjesdag" was celebrated on the last Saturday of May. Nowadays not the departure of the fleet but the arrival of the new herring is celebrated. And not only in Scheveningen but also in the fishing villages of Volendam and Spakenburg situated on the IJsselmeer the arrival of the "Hollandse Nieuwe" (the first freshly caught herring of the year) is celebrated. From the middle of May till the start of July "maatjes" herring or green herring is caught. From August on the herring that is caught is either smoked (kipper), steamed ("bokking"), marinated of turned into rollmops.

HERRING AND "KORENWIJN"

Tradition dictates the drinking of "korenwijn": the very best of Dutch genever with herring. White beer with its light and subtle herb aroma of coriander and orange also goes well with herring.

Boterbabbelaars / "Boterbabbelaars"

BOTERBABBELAARS
ZEELAND

100 g lichtbruine basterdsuiker
2 eetl. water
30 g boter
1/2 eetl. azijn
poedersuiker

De basterdsuiker met het water, de boter en de azijn al roerend aan de kook brengen en laten inkoken tot de laatste druppel van de lepel een draad trekt. Een stuk bakpapier dubbelvouwen en openvouwen. De suiker-massa op de vouw van het papier uitgieten. Het bakpapier aan de lange kanten optillen en de massa heen en weer bewegen tot een stevige rol ontstaat. Van de rol met een schaar babbelaars knippen. Deze laten afkoelen, hard laten worden en bestrooid met poedersuiker in een trommeltje bewaren.

"BOTERBABBELAARS"
PROVINCE OF ZEELAND

100 g soft light brown sugar
2 tbsp. water
30 g butter
1/2 tbsp. vinegar
icing sugar

Bring light brown sugar, water, butter and vinegar to the boil and heat till the last drop forms a fine thread. Fold a piece of waxed paper and open it. Pour the sugar mixture into the paper fold. Lift the paper at the long ends and move the mixture backwards and forwards till it forms a solid roll. Cut into small pieces using scissors. Leave to cool and harden and store in a tin coated with icing sugar.

HARINGSALADE

2-3 schoongemaakte haringen
250 g gekookte aardappelen
2 gekookte bietjes
2 middelgrote zure appelen
zilveruitjes en augurkjes
4 eetl. mayonaise

De haringen in stukjes snijden. De aardappelen in stuk-jes en de bietjes in blokjes snijden. De appelen schillen, in vieren snijden en de klokhuizen verwijderen. Het vruchtvlees kleinsnijden. De zilveruitjes heel laten en de augurken kleinsnijden. Vermeng 2/3 van de aardappe-len, bietjes, haring, appel, zilveruitjes en augurkjes en spatel de mayonaise erdoor. De salade midden op een plat bord leggen en de resterende groenten en vis er soort bij soort omheen leggen.

HERRING SALAD

2-3 cleaned herrings
250 g boiled potatoes
2 boiled beets
2 medium tart apples
pearl onions and gherkins
4 tbsp. mayonaise

Cut herrings, potatoes and beets in bite size pieces. Peel, core and chop the apples. Leave the pearl onions whole and finely dice the gherkins. Mix two thirds of the pota-toes, beets, herrings, apple, pearl onions and gherkins with the mayonnaise. Place the salad in the middle of a serving plate and arrange the remaining vegetables and fish around it.

NONNEVOTTEN
GEFRITUURD CARNAVALSGEBAK UIT SITTARD

CA. 25 STUKS
500 g bloem
1 zakje gedroogde gist
4 eetl. witte basterdsuiker
60 g boter
1/4 liter melk
zout
frituurolie
suiker

Van de bloem, gist, basterdsuiker, boter, de melk en zout een gistdeeg kneden. Het deeg onder een vochtige doek laten rijzen tot het in volume is verdubbeld. Het deeg opnieuw doorkneden en in 25 gelijke porties verdelen. Elke portie deeg tot een rolletje uitrollen en hierin aan het uiteinde een knoop leggen. Het deeg opnieuw laten rijzen tot het in volume is verdubbeld. Intussen een fri-tuurpan met olie verhitten tot 180 °C. De nonnevotten met niet te veel te gelijk in de olie frituren tot ze aan bei-de zijden lichtbruin zijn. Het gebak uit de pan op keu-kenpapier scheppen en warm door de suiker rollen. De nonnevoten koud of warm serveren.

"NONNEVOTTEN"
DEEP FRIED CARNIVAL PASTRY FROM THE CITY OF SITTARD

MAKES APPROX. 25
500 g flour
1 package dry yeast
4 tbsp. soft white sugar
60 g butter
1/4 litre milk
salt
oil for frying
sugar

Make a yeast dough with the flour, yeast, soft sugar, but-ter, milk and salt. Let the dough rise under a damp cloth till double the volume. Knead the dough again and divide into 25 balls of the same size. Roll each ball into a rope and put a knot in the end. Let the dough once again rise till double in volume. In the meantime heat the oil to 180 °C . Deepfry the "nonnevotten" a few at the time in the oil till golden brown. Spoon the pastry onto paper towels and roll through sugar while warm. Serve the "nonnenvotten" warm or cold.

> Na de carnevalsfeesten brak voor goed katholie-ken de vastentijd aan. Elk kind van katholieke hui-ze had tot ongeveer de jaren zestig een speciaal vas-tentrommeltje om al het aangeboden snoep en koekjes tot Palmzondag te bewaren. Dan werd het snoepgoed naar ziekenhuizen of bejaarden gebracht.

> After the Carnival festivities a time of fasting start-ed for the Catholics. Up until around the sixties every child in a Roman Catholic family owned a special fasting-tin to keep all offered sweets and pastries in till Palm Sunday. On that day the "Palmpaasstok" was decorated with the sweets and carried to hospitals or the elderly.

BROODHAANTJES VOOR OP DE PALMPAASSTOK

5 STUKS
500 g bloem
1/2 zakje gedroogde gist
1 1/2 dl melk
25 g gesmolten boter
20 g suiker
5 krenten of rozijnen

Van de bloem, gist, melk, gesmolten boter en suiker een soepel gistdeeg kneden. Het deeg in 5 porties verdelen, van elke portie een haantje vormen en de haantjes op een met bakpapier beklede bakplaat leggen. In elk haantje een krent of rozijn steken voor het oog. Het deeg afgedekt met plasticfolie of een vochtige theedoek een uurtje laten rijzen. De haantjes in een hete oven (200 °C) in ca. 20 minuten goudbruin bakken.

Variaties:
FOCACCIA
Van 1 kg patentbloem, 25 g gedroogde of 50 g verse gist (bakker), snufje zout, 5 dl water en ca. 4 eetl. olijfolie een soepel en elastisch gistdeeg kneden. Het deeg in een met olijfolie ingevette kom onder een vochtige doek laten rijzen tot het in volume is verdubbeld. Het deeg in 2 porties verdelen, elke portie op een met bloem bestoven aanrecht tot 1 cm dik uitrollen. Elke deeglap op een met olijfolie ingevette bakplaat leggen, de bovenkant met olijfolie bestrijken en met verse rozemarijn(naaldjes) en zeezout bestrooien. In het deeg op gelijke afstand gaatjes met de vinger drukken en het deeg nog 30 minuten laten rijzen. Het brood vervolgens in een hete oven (250 °C) in ca. 20 minuten bruinbakken.

PIZZA MET GEITENKAAS, PESTO EN OLIJVEN
Van 1 pak pizzadeeg een deeg kneden en het deeg op een met bakpapier beklede bakplaat uitrollen. 2 Rode paprika's onder een hete grill leggen tot ze zwart zijn geblakerd. De paprika's in een plastic zakje laten afkoelen. De schil verwijderen en het vruchtvlees in repen snijden. De deegbodem met tomatensaus waardoor pesto is geroerd bestrijken. Er dan 200 g verkruimelde geitenkaas over strooien en de repen paprika er traliegewijs opleggen. In elk vak een zwarte olijf leggen. De pizza ca. 10 minuten in de hete oven (200 °C) bakken.

BREAD COCKERELS FOR "PALMPAASSTOK"

MAKES 5
500 g flour
1/2 packet dry yeast
1 1/2 dl milk
25 g melted butter
20 g sugar
5 currants or raisins

Knead a soft and elastic dough of flour, yeast, milk, melted butter and sugar. Divide the dough into 5 portions, form a cockerel of each portion and place them on a baking tray lined with waxed paper. Put a currant or raisin in for an eye, cover the tray with a damp cloth or cling film and let rise approx. 1 hour. Bake the cockerels at 200 °C in approx. 20 minutes till golden brown.

Variations:
FOCACCIA
Knead a soft and elastic dough of 1 kg wheat flour, 25 g dry or 50 g fresh yeast, pinch of sugar, 5 dl water and approx. 4 tbsp. olive oil. Let the dough rise to double the volume in an oiled bowl covered with a damp cloth. Divide the dough into two balls and roll each ball on a flour covered surface till 1 cm thick. Lift each onto an oiled baking tray, brush with olive oil, sprinkle with rosemary leaves and coarse salt. Press with a finger to make indentations all over and let the dough rise another 30 minutes. Bake the bread at 250 °C in 25 minutes till golden brown.

PIZZA WITH GOAT'S CHEESE, PESTO AND OLIVES
Knead a dough from a store bought pizza mix. Roll the dough on a baking tray lined with waxed paper. Roast 2 sweet red peppers under the grill until black and blistered and put them in a plastic bag to cool. Remove the skin and cut the pepper into strips. Spread the dough with tomato sauce mixed with pesto, sprinkle with crumbled soft goat's cheese and lattice with strips of pepper. Place a black olive into each square. Bake the pizza approx. 10 minutes in a hot oven (200 °C).

Haringsalade / Herring salad (p. 30)

LUILAKBOLLEN
NOORD-HOLLAND

250 g bloem
1 zakje gedroogde gist
50 g gesmolten boter
1-1 1/4 dl melk
snufje zout
50 g krenten
50 g rozijnen
1 theel. kaneel
1 ei

Boven een mengkom de bloem zeven, de gist erdoor roeren en samen met de gesmolten boter, melk en het zout tot een soepel gistdeeg kneden. De kom met een vochtige doek of plasticfolie afdekken en het deeg ca. 15 minuten laten rijzen. De krenten en de rozijnen wassen, met keukenpapier droogdeppen en met de kaneel door het deeg kneden. Het deeg in 10 porties verdelen en er balletjes van vormen. De deegballetjes wat platdrukken, op een met bakpapier beklede bakplaat leggen en elk balletje op gelijke afstand 4 keer in knippen. De deegballen opnieuw ca. 20 minuten laten rijzen. Het ei loskloppen en het deeg met ei bestrijken. De luilakbollen 15 minuten in een hete oven (200 °C) bakken en met stroop serveren.

Variatie:
ZAANSE OF ZEEUWSE BOLUSSEN
Van 400 g bloem, 1 theel. zout, 2 1/2 dl lauwe melk en 1 zakje gedroogde gist een gistdeeg maken en dit 1 uur laten rijzen. Ca. 4 eetl. suiker en 2 theel. kaneel door elkaar roeren en op het aanrecht strooien. Het deeg in het kaneelmengsel uitrollen. Het deeg in lange repen snijden en deze tot een slakkenhuismodel oprollen. Bakken zoals luilakbollen.

Op de vroege zaterdagochtend voor Pinksteren worden Amsterdammers en Zaanlanders door belletjes trekkende en lawaaimakende jeugd voor dag en dauw uit bed gejaagd. Deze zaterdag wordt dan ook Luilak genoemd en de speciale broodjes, welke op die dag worden gegeten, heten luilakbollen.

"LUILAKBOLLEN"
PROVINCE OF NOORD-HOLLAND

250 g flour
1 package dry yeast
50 g melted butter
1-1 1/4 dl milk
pinch salt
50 g currants
50 g raisins
1 tsp. cinnamon
1 egg

Sift the flour into a mixing bowl, add yeast, melted butter, milk and salt and knead into an elastic dough. Cover the bowl with a damp cloth or cling film and let rise 15 minutes. Rinse currants and raisins and dry with paper towels. Knead currants, raisins and cinnamon into the dough and divide this into 10 balls. Slightly flatten the balls, place on a baking tray lined with waxed paper and score 4 times with scissors. Let rise another 20 minutes. Beat the egg and glaze the rolls. Bake the rolls in a hot oven (200 °C) approx. 15 minutes and serve with syrup or treacle.

Variation:
"ZAANSE" OR "ZEEUWSE BOLUSSEN"
Knead a yeast dough of 400 g flour, 1 tsp. salt, 2 1/2 dl lukewarm milk and 1 package of dry yeast and let it rise 1 hour. Mix approx. 4 tbsp. sugar with 2 tsp. cinnamon and sprinkle onto waxed paper. Roll dough to 1 cm thick into the sugar mixture, cut into strips, roll these into spirals for a snail and bake as "luilakbollen".

In the very early Saturday morning before Whit Sunday youngsters from Amsterdam and Zaandam go around town waking people by making a commotion and by ringing front door bells and running away. This Saturday is called "luilak" (lazy bone) and the rolls served that day are called "luilakbollen".

KALFSLEVER MET UI, SPEK EN APPEL

1 ui
1 appel
4 lapjes kalfslever
zout, peper
bloem
50 g spekblokjes
25 g boter

De ui in ringen snijden. De appel goed wassen, in vieren snijden en het klokhuis verwijderen. De partjes appel nog een of twee keer door snijden. De lever droogdeppen, met zout en peper bestrooien en door de bloem halen. De lapjes lever naast elkaar op een droge snijplank leggen. Het spek in een droge koekenpan uitbakken, uit de pan nemen en de boter toevoegen. De uiringen bruinbakken, ook uit de pan scheppen en vervolgens de lever aan weerskanten 3-4 minuten bakken. De lever op warme schaal overdoen, de appel snel aan weerszijden in de bakboter bruin bakken, de ui en het spek erdoor scheppen en over de lever verdelen.

Variatie:
LEVER MET SALIE EN BALSAMICO-AZIJN
De door de bloem gehaalde lever in hete boter bakken. In een andere koekenpan een in 8 partjes gesneden rode ui in 25 g boter glazig fruiten. Ca. 2 eetl. balsamico-azijn en 125 ml slagroom erdoor roeren. Alles kort doorkoken en tot slot 1 eetl. fijngehakte salie door de saus scheppen. De saus over de lever schenken of de saus apart bij de lever serveren.

CALFS LIVER WITH ONION, BACON AND APPLE

1 onion
4 slices of calfs liver
salt, pepper
flour
50 g bacon cubes
25 g butter
1 apple

Peel and slice the onion. Dry the liver, sprinkle with salt and pepper and coat with flour. Place the slices next to each other on a dry board. Crisply fry the bacon, remove from the pan, add butter and fry the onion till golden brown. Remove the onion from the pan and fry the liver 3-4 minutes on each side till brown. In the meantime wash, core and slice the apple. Place the liver on a pre-heated serving dish and quickly fry the apple slices in the same pan. Put bacon and onion in the pan, heat through and spoon over the liver.

Variation:
LIVER WITH SAGE AND BALSAMIC VINEGAR
Fry the flour coated liver in hot butter. In another pan glaze 1 red onion cut into 8 segments in 25 g butter. Add approx. 2 tbsp. balsamic vinegar and 125 ml double cream. Heat through quickly and add 1 tbsp. of chopped sage. Spoon the sauce over the liver or serve seperately.

Kalfslever met ui , spek en appel/ Calfs liver with onion, bacon and apple (p. 35)

GEBAKKEN ZWEZERIK MET ZURE EIERSAUS

2 zwezeriken
1 ui
1 worteltje
1 takje peterselie
45 g boter
zout, peper

VOOR DE SAUS:
20 g boter
20 g bloem
3 dl runderbouillon
1-2 eetl. witte-wijnazijn
1 groot ei
paneermeel

De zwezeriken met zoveel water opzetten tot ze onderstaan. Het water aan de kook brengen. De zwezeriken afgieten en koud spoelen. Vervolgens de zwezerik met kokend water opzetten (ze moeten onderstaan) en het vlees met de grof gehakte ui, wortel en peterselie in ca. 20 minuten gaar koken. De zwezeriken uit de pan nemen, tussen 2 borden platdrukken en laten afkoelen. Voor de saus de boter smelten, de bloem erdoor roeren en geleidelijk al roerend de bouillon toevoegen tot een gladde saus ontstaat. De azijn erdoor roeren en tot verder gebruik laten staan. De zwezerik ontdoen van vliezen en vet. De zwezeriken in schuine repen snijden en met zout en peper bestrooien. De repen vlees eerst door het met 1 eetlepel water losgeklopte ei en daarna door het paneermeel. De boter in een koekenpan verhitten en de zwezerik in de hete boter snel bruinbakken. De saus opnieuw door warmen. Het ei loskloppen, de pan van het vuur nemen en het ei door de saus roeren. De zwezerik met de zure eiersaus serveren.

SAUTÉED SWEETBREADS WITH SOUR EGG SAUCE

2 sweetbreads
1 onion
1 small carrot
1 sprig parsley
45 g butter
salt, pepper

FOR THE SAUCE:
20 g butter
20 g flour
3 dl beef stock
1-2 tbsp. white wine vinegar
1 large egg
breadcrumbs

Blanch the sweetbreads by putting them in cold water to cover and bringing it to the boil. Drain and rinse. Put the sweetbreads with the chopped onion, carrot and parsley in boiling water to cover and cook on low heat approx. 20 minutes. Remove from the water, press between 2 plates and leave to cool.
For the sauce melt the butter, add flour and whisk in the stock till thickened. Add vinegar and set aside.
Pull away the ducts, skin, fat and outer pieces of membrane from the sweetbreads. Slice diagonally and sprinkle with salt and pepper. Dip in 1 egg beaten with 1 tablespoon water and coat with breadcrumbs. Heat butter in a frying pan and quickly fry the sweetbreads till golden brown on each side. Reheat the sauce. Beat the egg, remove the sauce from the heat and whisk in the egg. Serve the sweetbreads with the sauce.

WARME BITTERKOEKJESPUDDING
VORM VAN 1 LITER INHOUD

3 dl melk
150 g bitterkoekjes
125 g oud wittebrood zonder korst
75 g boter
3 eieren
50 g suiker
boter en paneermeel voor de vorm

De melk in een pan verwarmen en hierboven de bitterkoekjes en het brood verkruimelen. De boter erdoor roeren. De hittebron uitdraaien. De eieren splitsen en de dooiers met de suiker romig kloppen. De eiwitten stijfkloppen en eerst het dooiermengsel en daarna de eiwitten door het bitterkoekjesmengsel spatelen. Een broodpuddingvorm met deksel invetten en met paneermeel bestrooien. Het bitterkoekjesmengsel erin scheppen, de vorm met het deksel afsluiten en in een pan met ruim kokend water zetten. (Het water in de pan moet tot net onder de rand van de vorm komen.) Een deksel + een gewicht op de vorm zetten om te voorkomen dat de pudding gaat zweven. De broodpudding in ca. 1^1/2 uur gaar koken. Het deksel van de vorm nemen, de pudding laten uitstomen en storten. Serveren met vanillesaus.

Tip

Broodpuddingvormen lijken op kleine tulbandvormen van blik die met een deksel worden afgesloten. Tegenwoordig bijna niet meer te koop. Bereid daarom het gerecht in de magnetron. Het bitterkoekjesmengsel daarvoor in een glazen of porseleinen ovenvaste soufflépot scheppen en het afgedekt 30-35 minuten verwarmen op 30%.

Variatie:
BITTERKOEKJESVLA

In een schaal ca. 12 bitterkoekjes en 1 eetl. rozijnen met 2 eetl. rum besprenkelen en 1 uur weken. Het mengsel over 4 bordjes verdelen en hierover vanillevla schenken.

> *Bitterkoekjes* zijn koekjes van amandelbeslag die in de Nederlandse keuken zeker de eerste helft van deze eeuw veel werden gegeten. Waarschijnlijk zijn de koekjes in Italië ontstaan. De koekjes ontlenen hun specifieke aroma aan de smaaktegenstelling tussen bitter en zoet. De bittere smaak komt van de amandelen en de suiker zorgt voor de zoete smaak.

WARM "BITTERKOEKJES" PUDDING
MOULD OF 1 LITRE

3 dl melk
150 g "bitterkoekjes" or macaroons
125 g day old white bread, crust removed
75 g butter
3 eggs
50 g sugar
butter and breadcrumbs for coating

Heat the milk in a saucepan and crumble the cookies and bread into it. Add the butter and turn off the heat. Separate the eggs, beat the yolks and sugar till thick and spoon into the cookie mixture. Beat the egg whites and also spoon these into the cookie mix. Coat a lidded tin mould with butter and breadcrumbs and fill with the pudding mix. Put on the lid and put the mould in a pan filled with boiling water. (The water should come to the rim of the mould.) Place a weight on the mould to prevent the pudding from floating. Heat the pudding approx. 1^1/2 hours till set. Remove the lid, let steam escape and turn the pudding onto a serving plate. Serve with vanilla sauce.

Tip

Bread pudding moulds with a lid are hard to get nowadays. However, it is easy to prepare this dish in the microwave oven: Spoon the pudding mixture into a microwave proof dish and heat, covered, 30-35 minutes at 30% power.

Variation:
"BITTERKOEKJESVLA"

In a mixing bowl sprinkle approx. 12 "bitterkoekjes" or macaroons and 1 tbsp. raisins with 2 tbsps. rum and let soak for 1 hour. Divide the mixture over 4 pudding bowls and pour over a thick store bought vanilla sauce ("vanillevla").

> *Bitterkoekjes* are chewy cookies made out of a dough mixed with almonds. They were especially popular during the first part of the twentieth century. Most probably they originated in Italy. Their specific taste and aroma comes from the contrast between the bitter and the sweet.

Warme bitterkoekjespudding / Warme "bitterkoekjes"pudding (p. 39)

Typisch Hollands

De week voor Pasen is het palmpasen en maken Hollandse kinderen hun eigen palmpaasstok. Zo'n palmpaasstok heeft de vorm van een kruis en is versierd met groene slingers en mandarijntjes of sinaasappels. Aan de top werd dan een haantje gestoken. Op de zondag voor Pasen trekken de kinderen met hun versierde Palmpaasstok al zingend door het dorp of de stad in de hoop iets lekkers te krijgen.

Palmpaasstok

De palmpaasstok wordt gemaakt van dunne houten stokjes in de vorm van een kruis, welke volgens Bijbelse betekenis met crêpepapier wordt omwikkeld. De stok wordt eerst met wit, daarna met groen en tot slot met rood crêpepapier bekleed. Wit symboliseert sneeuw, groen staat voor gras en rood voor bloed. De stok wordt van boven naar beneden (sneeuw valt uit de hemel) met wit papier omwikkeld, daarover gaat groen crêpepapier (alleen de verticale stok en niet geheel tot boven aan toe) met tussenruimte van onder naar boven en tot slot gaat er rood crêpepapier (bloed) zowel horizontaal als verticaal losjes overheen. Bovenop wordt een broodhaantje gestoken en verder hangen er 30 rozijnen, 12 noten, een aantal mandarijntjes en paarse, roze en gele paaseitjes aan. De rozijnen zijn de 30 zilverlingen waarvoor Jezus door Judas werd verkocht, de noten staan voor de 12 apostelen, mandarijntjes voor het zuur dat Jezus op een spons, gedrenkt in azijn, kreeg aangereikt om zijn dorst te lessen. En tot slot de paaseitjes die de kleur van krokussen weergeven en het ei dat nieuw leven betekent. Nadat de stokken op palmzondag (de zondag voor Pasen) in de kerk zijn gezegend, worden ze door kinderen naar zieken en bejaarden gebracht.

De volgende liedjes worden dan gezongen:

Pallem, pallem Pasen
hei koerei!
Nog maar ene zondag
dan krijgen we een ei.
Een ei is geen ei,
twee ei is een half ei,
drie ei is een paasei!

Haantien op een stokkien,
geef me gauw een broktien,
geeft me gauw wat wittebrood,
anders gaat m'n haantje dood!

Typically Dutch

The week prior to Easter is called "Palmpasen" for which children make their own special stick: "palmpaasstok". The stick looks like a cross and is decorated with green guirlandes (= palm branches), sweets and tangerines or oranges. On top of the cross sits a home made (or store bought) bread cockerel. On Palm Sunday the children walk the streets of their villages or towns, singing, showing off their sticks and hoping to receive sweets.

"Palmpaasstok"

The palmpaasstok is made from two thin wooden sticks shaped like a cross and wrapped with crêpe paper according to Biblical terms. First the cross is wrapped with white, then green and finally red crêpe paper. White symbolises the snow, green is the grass and red the blood. The wrapping starts from the top down (snow falls from the sky) with the white paper, the vertical stick is wrapped with green paper but not all the way up and the red paper is losely wrapped around both the horizontal and vertical stick. A bread cockerel is placed on top and the cross is decorated with strings of 30 raisins, 12 nuts, some tangerines and purple, pink and yellow chocolate eggs. The raisins symbolise the 30 pieces of silver for which Judas sold Jesus, the nuts are the 12 disciples and the tangerines the sour sponge Jesus was handed at the cross to drench his thirst. Finally the chocolate eggs wrappings represent the colour of crocusses and the eggs itself new life. After the "palmpaasstokken" have been blessed in church on Palm Sunday (Sunday before Easter) they are brought to the ill and infirm by the children.

The children sing these songs:
Pallem, pallem Pasen
hei koerei!
Nog maar ene zondag
dan krijgen wij een ei
Een ei is geen ei
twee ei is een half ei,
drie ei is een paasei!
(Hurray it's Palm Sunday, only one more Sunday before we get eggs. One egg doesn't count, two eggs correspond to half an egg, but three eggs are true Easter eggs.)

Haantien op een stokkien,
geef me gauw een brokkien,
geeft me gauw wat wittebrood,
anders gaat m'n haantien dood!
(Cockerel on a stick, give me a piece quickly, a piece of white bread, before my cockerel dies.)

Sommige beweren dat Palmpasen verwijst naar de intocht van Jezus in Jeruzalem, waar hij met palmtakken werd onthaald, anderen zeggen dat de Palmpaasstok verband houdt met de komst van de lente.

Some link Palm Sunday to the entry of Jesus in Jerusalem when he received a welcome with palm branches, others link it to the arrival of spring.

Goede gewassen en oogst

Tijdens palmpasen werden takjes buxus in de kerk gewijd en boeren en tuinders staken deze bij hun gewassen in de hoop dat hierdoor hun gewas goed zou groeien.

Good crops and harvests

In the old days at Palm Sunday some farmers had buxus greens consecrated in their (Catholic) church. These were put into the soil next to the crops to ensure a plentiful harvest.

Paaseieren verven

Met Pasen is het gebruikelijk om vrienden en familie een (chocolade) paasei te geven. Dit gebruik stamt af van ver voor onze jaartelling. Het moet symbolisch nieuw leven voorstellen. Nog steeds wordt met Pasen in veel gezinnen hardgekookte eieren gekleurd en in de tuin verstopt. De kinderen gaan ze dan op Paasochtend zoeken. Gebruik voor het verven een gifvrije verf.

Painting of Easter eggs

At Easter it is customary to present friends and family with an Easter (chocolate) egg. This custom dates to long before the Christian era and symbolises the gift of new life.
In our time lots of families paint hard-boiled eggs and hide them in the garden for the children to find on Easter Sunday. (Use a special non-toxic dye.)

In de Middeleeuwen was Pasen de afsluiting van een lange 'echte' vastenperiode: een periode waarin behalve vis en vlees ook geen eieren mochten worden gegeten.
Ook voor stedelingen was het heel gewoon om kippen te houden en waren eieren bijna nooit schaars of duur (ze werden zelfs als betaalmiddel gebruikt!). Met Pasen werden er dan ook uitbundig eieren gegeten, tot wel 20-25 stuks per dag.

In the Middle Ages Easter was the end of a long period of real fasting: a time in which next to fish and meat, eggs were forbidden food as well.
It was customary for city dwellers as well as farmers to keep chickens, which meant eggs were never scarce or dear (they were actually used as tender!). It was therefore not unusual for people to eat an enormous amount of eggs at Easter, sometimes up to 20-25 a day.

Gestoofde aal / Stewed eel (p. 59)

Zomer
Summer

Bij een mooie zomer eten we en drinken we graag buiten. De zomer is het seizoen van vers fruit. We kunnen volop genieten van aardbeien, kersen, bessen en bramen uit eigen land. Daarnaast is het de tijd van verse peulvruchten, tuinbonen, doperwten, peultjes enz. Ook kruiden uit eigen tuin of van de koude grond zijn extra smaakmakers voor vele gerechten. En niet alleen vandaag, maar ook vroeger werd er dankbaar gebruik van gemaakt. Denk maar eens terug aan de Kruudmoes (kruidengortepap) van weleer.

In the nice summer weather we like to eat and drink outside. Summer is the season of plentiful fruit. It is the time to enjoy locally grown strawberries, cherries and blackberries. It is also of course the season of fresh pulses, broad beans, peas, mange-tout, etc. Herbs from the garden or grown outside the greenhouses are used by many cooks as extra flavourings in a kaleidoscoop of dishes not only today but in former years as well. Just look at the historical recipe for "Kruudmoes" (barley porridge with herbs).

TUINBOONTJES MET BONENKRUID

3 kg tuinbonen
scheutje melk
zout
1 takje vers bonenkruid of $1/2$ theel. gedroogd
15 g boter

De peulen in beide handen nemen en met de duim tegen de onderkant drukken, zodat de peul openspringt. De peulen openmaken, de boontjes eruit nemen en in een zeef of vergiet leggen. De tuinbonen in een bodempje hete melk (om de bonen blank te houden) met zout naar smaak en het bonenkruid in ca. 15 minuten beetgaar koken. Het kookvocht afgieten, het bonenkruid verwijderen en het klontje boter erdoor schudden. Direct serveren.

Variaties:
DOPERWTJESSOEP MET KNOFLOOKCROUTONS
In 15 g boter 1 fijngesnipperde ui zacht fruiten. 300 G versgedopte (evt. diepvriesdoperwtjes) met $3/4$ liter kippenbouillon (tablet), mespunt Provençaalse kruiden toevoegen, aan de kook brengen en 15 minuten zachtjes koken. De soep pureren, zeven en met 1 dl slagroom, mespunt suiker opnieuw aan de kook brengen. De soep op smaak brengen met zout en peper en er 2 eetl. fijngehakte peterselie door roeren. Garneren met knoflookcroutons, zie p. 99.

ROERGEBAKKEN PEULTJES MET GARNALEN
In een braadpan of wok 3 eetl. olie verhitten en hierin 5 in reepjes gesneden bosuitjes met 1 theel. versgeraspte gember en 200 g gepunte peultjes ca. 3 minuten roerbakken en er daarna 100 g taugé met 200 g Noorse garnalen door roeren. In een schaaltje 2 dl kippenbouillon, 1 eetl. ketjap, 1 eetl. sherry en 1 eetl. maïzena door elkaar roeren. Het bouillonmengsel door de groenten roeren en kort mee verwarmen. Serveren met mie.

Dubbeldoppen
Voor tuinboontjes met een nog zachtere schilletje worden ze dubbel gedopt. In dit geval wordt nog een keer het buitenste schilletje verwijderd.

BROAD BEANS WITH SUMMER SAVORY

3 kg broad beans
dash of milk
salt
1 fresh sprig of summer savory or $1/2$ tsp. dried savory
15 g butter

Take the pod in two hands and squeeze it between two fingers to split open. Scoop out beans with the thumb and place in a colander or sieve. Cook the beans approx. 15 minutes in a little hot milk (to prevent discolouring) with savory and salt to taste. Pour off the cooking liquid, remove the savory and add the butter. Serve immediately.

Variations:
PEASOUP WITH GARLIC CROUTONS
Sautee 1 finely chopped onion in 15 g butter. Add 300 g fresh or deepfrozen peas with $3/4$ litre chicken stock (tablet) and a pinch of Provençale herbs. Bring to the boil and simmer 15 minutes. Puree the soup, put it through a sieve and bring to the boil with 1 dl double cream and a pinch of sugar. Season with salt and pepper and 2 tbsp. parsley. Garnish with garlic croutons, p. 99.

STIRFRIED MANGE-TOUT WITH SHRIMP
Heat 3 tbsp. oil in a wok or sautee pan. Stirfry 5 spring onions with 1 tsp. freshly grated ginger and 200 g cleaned mange-tout for 3 minutes. Add 100 g bean sprouts and 100 g Norwegian shrimp. In a bowl mix 2 dl chicken stock with 1 tbsp. ketjap (Indonesian soy sauce), 1 tbsp. sherry and 1 tbsp. cornflour. Stir stock mix into pan and heat shortly. Serve with Chinese noodles.

Skinning broad beans
For an even softer broad bean the skin can be removed, so that only the very soft flesh of the bean is eaten.

Dertig jaar geleden hadden we niet zo'n uitgebrei- de keuze in groenten zoals nu. Minder bekende groenten of zelfs nieuwe groenten zijn: amsoi, paksoi, troskerstomaatjes, Turkse aubergine (min- der groot dan gewone aubergine).

Thirty year ago there wasn't a very wide range of vegetables. Lesser known or even completely new vegetables that have appeared on the market since are: armsoi, paksoi, bunch cherry tomatoes, Turk- ish eggplant (smaller than the regular) etc.

PROL
BRABANTSE PREISOEP

1 kg zomerprei
15 g boter
1 liter bouillon, zelfgetrokken, pot of tablet
2 aardappelen
1 eetl. rijst
100 g ontbijtspek in blokjes

De prei in ringen snijden, wassen en in de hete boter gla- zig stoven. De bouillon toevoegen en aan de kook bren- gen. De aardappelen schillen, in blokjes snijden en deze met de rijst bij de soep doen. De soep 30 minuten zacht- jes laten koken. De blokjes spek langzaam in een koe- kenpan uitbakken tot ze krokant zijn. De soep in borden schenken en de blokjes spek erover verdelen. In Brabant wordt de soep met roggebrood en boerenboter geser- veerd.

"PROL"
LEEK SOUP FROM THE PROVINCE OF BRABANT

1 kg summer leeks
15 g butter
1 litre stock, homemade, tablet or jar
2 potatoes
1 tbsp. rice
100 g cubed bacon

Slice and wash the leeks and heat in the butter till soft. Pour on the stock and bring to the boil. Peel and cube the potatoes and add with the rice to the soup. Simmer 30 minutes. Fry the bacon cubes on low heat in a frying pan till crisp. Spoon the soup in plates and sprinkle with the bacon. In Brabant black bread and farmer's butter are served with the soup.

BOERENBOTER
Op een aantal boerderijen in Nederland wordt nog altijd boter en kaas gemaakt. Met name in Zuid Holland. Voor een folder met adressen: Het Nederlands Zuivelbureau tel.: 070-3953395.

FARMER'S BUTTER
Some farms in Holland still manufacture butter and cheese, especially those in the Province of Zuid Hol- land. For leaflet with addresses please contact 'Het Nederlands Zuivelbureau' tel.: 070 – 3953395

WATERGRUWEL

Watergruwel is een nagerecht dat met gort of haver- mout, vermengd met krenten en rozijnen en bessensap, wordt bereid.

100 g (snel)parelgort of rijst
citroenschil
1 kaneelstokje
125 g krenten en rozijnen
3 dl rode bessensap
ca. 75 g suiker

De gort wassen, met de citroenschil, het kaneelstokje en ca. 5 dl water aan de kook brengen en 15 minuten zacht- jes laten koken. Intussen de krenten en de rozijnen was- sen, droogdeppen met keukenpapier en ze de laatste 5 minuten meekoken. De bessensap toevoegen en de wa- tergruwel op smaak brengen met suiker. Het gerecht warm of koud serveren.

"WATERGRUWEL"

"Watergruwel" is a dessert made out of barley or rolled oats mixed with currants, raisins and currant juice.

100 g instant barley or rice
lemon peel
1 cinnamon stick
125 g raisins and currants
3 dl red currant juice
approx. 75 g sugar

Wash the barley, bring to the boil with the lemon peel, cinnamon and approx. 5 dl water and simmer 15 min- utes. Wash the raisins and currants, dry with paper tow- els and add to the pan 5 minutes before the end of the cooking time. Add the currant juice and sugar tot taste. Serve the "watergruwel" warm or cold.

Tuinboontjes met bonenkruid / Broad beans with summer savory (p. 46)

Variaties:
EIERS EN BEIERS
(TYPISCH ZEEUWS NAGERECHT UIT BEVELAND)

In een pan 500 g kruisbessen in een bodempje water in ca. 10 minuten tot moes koken. Intussen 4 eieren met 100 g suiker en kaneel naar smaak wit schuimig kloppen. De kruisbessen door een zeef wrijven en de puree opnieuw aan de kook brengen. De pan van het vuur nemen en het schuimig geklopte eimengsel erdoor spatelen. Blijven roeren tot de vla is afgekoeld.

BLOEMKOOL MET BESSENSAP

Een authentiek gerecht uit Noord Holland waarvan de combinatie misschien wat vreemd is, maar voortreffelijk smaakt.

KARNEMELK MET BESCHUIT EN BESSENSAP

In een diep bord karnemelk of yoghurt schenken, midden in een beschuit leggen en daarover bessensap schenken.

BOWL

In een pan 1/2 liter water met 100 g suiker en 2 zakjes vanillesuiker aan de kook brengen en laten koken tot de suiker is opgelost. De suikersiroop laten afkoelen en er 4 eetl. frambozen- of sinaasappellikeur en wat citroensap door roeren. Ca. 600 g schoongemaakte vruchten, bijvoorbeeld aardbeien, bessen, frambozen en stukjes kiwi in een grote schaal doen en de suikersiroop erop schenken en het geheel met in reepjes gesneden muntblaadjes garneren.

Variations:
"EIERS EN BEIERS"
(A DESSERT FROM THE REGION OF BEVERLAND IN THE PROVINCE OF ZEELAND)

Cook 500 g gooseberries with a little water approx. 10 minutes till soft. In the meantime beat 4 eggs with 100 g sugar and cinnamon to taste till white and frothy. Put the gooseberries through a sieve and bring the puree to the boil. Remove the pan from the heat and fold in the egg mixture till the dish is cold.

CAULIFLOWER AND CURRANT JUICE

A traditional dish from the Province of Noord Holland which may seem like a strange combination but is wonderful of taste.

BUTTERMILK WITH RUSK AND CURRANT JUICE

In a soup plate pour buttermilk or yoghurt, place a rusk in the middle and pour over currant juice.

"BOWL"

In a pan heat 1/2 litre water with 100 g sugar and 2 sachets of vanilla sugar till the sugar has dissolved. Let the syrup cool and spoon in 4 tbsp. raspberry or orange liqueur with a little lemon juice. In a bowl place approx. 600 g cleaned fruits such as strawberries, currants, raspberries and sliced up kiwi, pour over the syrup and garnish with finely shredded mint leaves.

WENTELTEEFJES

9 sneetjes wittebrood van 2 dagen oud
1 groot ei
2 eetl. suiker
mespunt kaneel
ca. 1/4 liter melk
50 g boter
poedersuiker

"WENTELTEEFJES" (FRENCH TOAST)

9 slices of day-old white bread
1 large egg
2 tbsp. sugar
pinch cinnamon
approx. 1/4 litre milk
50 g butter
icing sugar

De sneetjes van de korstjes ontdoen en 2 keer diagonaal doorsnijden. Het ei met de suiker en de kaneel schuimig kloppen en de melk er geleidelijk door roeren. Het brood door het eimengsel halen. In een koekenpan de helft van de boter verhitten en hierin de helft van het brood aan beide kanten bruinbakken. Op een bord leggen en warmhouden. De rest op dezelfde manier bakken.

Remove the crust from the bread and cut the slices twice diagonally. Beat the egg with the sugar and cinnamon and gradually add the milk. Soak the triangles of bread in the milk mixture. Heat half the butter in a frying pan and fry half the bread triangles till golden on both sides. Place on a plate and keep hot while frying the second bunch in the same way.

Variatie:
WENTELTEEFJES
MET ZOMERVRUCHTENCOMPOTE

250 G zomervruchten (rode bessen, zwarte bessen, aardbeien, enz) met 2 dl appelsap aan de kook brengen. Het sap met een lepel met water glad geroerde maïzena binden. De wentelteefjes bakken zoals hierboven beschreven. De vruchten over 4 diepe borden verdelen en in elk bord 3 wentelteefjes leggen. Als nagerecht serveren.

Variation:
"WENTELTEEFJES"
WITH COMPOTE OF SUMMER FRUIT

Put 250 g summer fruits (red currants, black currants, strawberries, etc) into a pan with 2 dl apple juice and bring to the boil. Thicken the juice with a mixture of 1 tbsp. cornflour and 1 tbsp. water. Prepare "wentelteefjes" as described above. Divide the fruit over 4 plates and place 3 "wentelteefjes" on each plate. Serve as dessert.

HOOIKIST

Veel gezinnen hadden tot in de jaren vijftig een hooi-kist. Het was doorgaans een zelfgetimmerde houten kist met deksel, die gevuld was met hooi. Omdat we toen geen vlugkookgort kenden, moest parelgort of Alkmaarse gort 1¹/₂-2¹/₂ uur zachtjes koken. De gort werd daarom uit zuinigheid eerst ca. 1/6 deel van de totale bereidingstijd voorgekookt en ging hij daarna 4 x de totale bereidingstijd (dus 4-8 uur) de hooikist in. Bij een bereidingstijd van ca. 2 uur werd wel geadviseerd om de gort tussendoor nog een keer aan de kook te brengen, omdat deze anders te veel afkoelde. Om de warmte zo veel mogelijk vast te houden, werd de pan met gort in vele oude kranten gewikkeld als dikke isoleerlaag alvorens hij de hooi-kist inging. Soms werd de pan nog afgedekt met een kussen van kapok (pluis van de zaden van de kapok-boom, afkomstig uit de tropen). Overigens werd de hooikist niet alleen voor watergruwel, maar voor alle gerechten met een lange bereidingstijd, bijvoor-beeld erwtensoep of kruudmoes, gebruikt. Wie niet over een hooikist beschikte, zette de pan in bed, waar het kapokmatras en kapokkussen een uitste-kende isolatie vormden.

HAYBOX

Up until the fifties a lot of families owned a hay-box. Most often this wooden box was home made, had a lid and was filled with hay. Since there was no instant barley in those days, the pearled barley or "Alkmaarse" barley needed to be cooked for 1¹/₂ – 2¹/₂ hours. To save money the barley was pre-cooked for 1/6th of the total cooking time and then went into the haybox for 4 times the total cooking time. If the cooking time was approx. 2 hours the advise was to bring the barley halfway to the boil again to prevent it from cooling. To keep the heat in as much as possible the pan was wrapped in lots of old newspapers as insulation, before being placed into the haybox. Sometimes the pan was covered by a pilow made out of kapok from the silk cotton tree. The haybox was used for all dishes with long cooking times such as peasoup or "kruudmoes". People without a haybox placed the pan in bed since it had a kapok mattress with kapok pillows which were good insulation materi-al.

TWENTSE KRUUDMOES

250 g gort
stukje rookspek van 150 g
1 rookworst
200 g rozijnen
1¹/₂ liter karnemelk
4 eetl. fijngehakte kruiden peterselie of selderij, munt, zuring, brandneteltoppen en/of kervel
35 g boter
stroop of suiker

De gort 24 uur weken in 1 liter koud water. Het week-vocht afgieten, 1 liter water aan de kook brengen en de gort 1 uur zachtjes koken. Het rookspek en de worst met de rozijnen aan de gort toevoegen en alles nog 60 minu-ten zachtjes koken. Het spek en de worst uit de pan nemen, kleinsnijden en weer bij de gort doen. Dan de karnemelk, de kruiden en de boter door de gort roeren. De kruudmoes warm of koud met stroop of suiker serve-ren.

"TWENTSE KRUUDMOES"

250 g barley
150 g cured bacon
1 "rookworst" (smoked Dutch sausage)
200 g currants
1¹/₂ litre buttermilk
4 tbsp. chopped herbs such as parsley, celery, mint, sorrel, nettle-tips and/or chevril
35 g butter
treacle or sugar

Soak the barley for 24 hours in 1 litre cold water. Pour off the liquid, bring 1 litre clean water to the boil and simmer the barley 1 hour. Add the bacon, "rookworst" and currants to the pan and simmer for another hour. Remove the bacon and "rookworst", cut each into pieces and return to the pan. Stir in buttermilk with herbs and butter and serve the "kruudmoes" warm or cold with treacle or sugar.

Kruudmoes, ook wel kruidmoes is een kruidengor-tepap. Een typisch voorjaars- en zomergerecht uit de Gelderse en Overijsselse Achterhoek. Elke streek kende zijn eigen bereidingswijze.

Kruudmoes, also known as "kruidmoes", is a barley-porridge with herbs. This typical spring and summer dish originates in the area's of the Gelderse and Overijsselse Achterhoek. Every county had its own recipe.

Watergruwel / "Watergruwel" (p. 47)

RABARBERMOES

500 g rabarber
100 g suiker

De stelen rabarber ontharen, in stukjes van 2 cm snijden en in een bodempje water (ca. 1 dl) in ca. 10 minuten tot moes koken. De suiker door de rabarber roeren. De rabarber laten afkoelen, in een schaal overdoen en als bijgerecht serveren.

Variaties:
RABARBERMOES MET SCHUIMKOP
De rabarbermoes in een ovenvaste schaal overdoen. 3-4 Eiwitten met 125 g suiker zeer stijf kloppen en over de rabarber verdelen. Met een lepel een mooi golfpatroon in het eiwit maken en het eiwit onder de hete grill lichtbruin kleuren.

STEWED RHUBARB

500 g rhubarb
100 g sugar

Remove the strings from the rhubarb stems, cut stems in 2 cm pieces and stew the rhubarb approx. 10 minutes in a little water (1 dl) till soft. Mix in the sugar. Cool, spoon into a bowl and serve as a side dish.

Variations:
RHUBARB MERINGUE
Place stewed rhubarb in an ovenproof dish. Beat 3-4 egg whites with 125 g sugar till very stiff and smooth over the rhubarb. Decorate the meringue with a spoon and heat under a hot grill till golden.

Vaak zag je bij grote land- en tuinbouwbedrijven tegen een schuur rabarber groeien. Die schuur diende voor het opbergen van gereedschap, maar werd ook vaak als schafthok gebruikt. Omdat zo'n schuur veelal ver van de bewoonde wereld lag, was er geen stromend water. De handen werden dan door landarbeiders met de bladeren van de rabarber ''gewassen'' en met slootwater omgespoeld. Door de bladeren in de handen tot moes te wrijven, werden de handen goed schoon.

At large agricultural and market gardening farms rhubarb was grown against a barn. This barn was used to store tools, but often also used to eat in. Since these barns were quite a way away from civilisation and had no running water, farmhands used the leaves of the rhubarb and water from the ditch to 'wash' their hands. By rubbing the leaves till soft the hands were cleaned properly.

Rabarbermoes met schuimkop / Rhubarb meringue

HAAGSE BLUF

Met een mixer 3 eiwitten met 100 g suiker zeer stijf kloppen en geleidelijk al kloppend 3 dl bessensap erdoor roeren. De Haagse bluf over 4 hoge glazen verdelen en garneren met een takje aalbessen of een kaneelbeschuitje*.

*Typisch Nederlands zijn de zogenaamde kaneelbeschuitjes (rechthoekige beschuitrepen) afgedekt met een laagje suiker en kaneel, die vroeger 's middags bij de thee werden geserveerd.

"HAAGSE BLUF"

With a mixer beat 3 egg whites with 100 g sugar till very stiff and gradually add 3 dl currant juice with the mixer running. Divide the "Haagse bluf" over 4 tall glasses and decorate with a sprig of red currants or a cinnamon rusk*.

*Cinamon rusks are typically Dutch. In the past these oblong rusks with a layer of sugar and cinamon are often served with tea.

ZOMERKONINKJESSORBET

500 g aardbeien
4 dl water
150 g suiker
2 eetl. citroensap

ERBIJ:
stijfgeslagen slagroom
aardbeien

Het water met de suiker al roerend aan de kook brengen en enkele minuten zachtjes doorkoken. De suikersiroop laten afkoelen. De aardbeien schoonmaken en in een foodprocessor of met de staafmixer pureren. De puree met het citroensap door de suikersiroop roeren en het mengsel laten bevriezen tot het bijna bevroren is.
Het aardbeienmengsel opnieuw in een foodprocessor met het metalen mes kapot slaan om de vorming van ijskristallen te voorkomen. Opnieuw in de vriezer bevriezen. Met een ijsbolletjestang op elk bord een bolletje ijs scheppen en de bordjes met aardbeien en stijfgeslagen slagroom serveren.

"ZOMERKONINKJES" SORBET

500 g strawberries
4 dl water
150 g sugar
2 tbsp. lemon juice

EXTRA:
whipped cream
strawberries

Bring the water with sugar to the boil, stir and simmer a few minutes. Let the syrup cool. Clean strawberries and puree in a food processor. Stir puree with lemon juice into the syrup and place into the deepfreeze till nearly frozen. Put the strawberry mixture back into the food processor and process till smooth. Freeze again. Scoop out 4 balls, place on a plate, add strawberries and whipped cream and serve.

Variaties:
BESCHUIT MET AARDBEIEN

Zodra de eerste aardbeien van de koude grond kwamen, kregen wij als kind een beschuitje met aardbeien (en suiker). Zaltbommel was de streek van dè aardbeien en er werd zelfs een aardbeienkoningin in juni gekozen.
Een beschuit dun met boter besmeren en beleggen met plakjes aardbei. Vlak voor het serveren met grand marnier besprenkelen.

Variations:
RUSK WITH STRAWBERRIES

In our youth, as soon as the first outdoor grown strawberries had arrived, we were served a rusk with strawberries (and sugar). The city of Zaltbommel was known for it's strawberries and even choose a Strawberry Queen in June.
Spread a rusk thinly with butter and layer with sliced strawberries. Sprinkle with Grand marnier just before serving.

AARDBEIENSOEP

In een foodprocessor 500 g aardbeien pureren, de puree door een zeef wrijven en met vanillesuiker of sinaasappellikeur op smaak brengen. Eventueel verdunnen met wat sinaasappelsap. De puree in 4 bordjes schenken, een toef zure room in het midden leggen en garneren met reepjes munt.

AARDBEIENSALADE

In een slabak de repen van 1/2 krop ijsbergsla leggen. 250 G aardbeien in vieren snijden en over de sla verdelen. Een dressing kloppen van 4 eetl. olie, 1 eetl. wittewijnazijn, 2 eetl. sinaasappelsap, zout en veel versgemalen peper en deze over de sla schenken.

VLIERBLOESEMSIROOP

vlierbloesemschermen
suiker
sap van ca. 2 citroenen

Een grote pan vullen met vlierbloesem waarvan de steeltjes zoveel mogelijk zijn afgeknipt. Er zoveel warm water op gieten tot ze bijna onderstaan en een deksel op de pan leggen. De pan in een wijde pan die voor 2/3 deel met heet water is gevuld zetten en alles zo 2 uur zachtjes laten trekken. Alles zeven en het vocht meten. Per dl sap 100 g suiker toevoegen, de vloeistof met de suiker opnieuw aan de kook brengen en laten koken tot de suiker is opgelost. De pan van het vuur nemen, het citroensap toevoegen, de siroop laten afkoelen en in schone flessen schenken.

> Van mei tot en met juni bloeit overal langs bermen vlier. Een struik of lage boom van ca. 6 meter met geveerde bladeren en sterk ruikende bloemen. Van de bloemschermen werd vroeger thee getrokken of limonadesiroop gemaakt. IJskoud geserveerd is het een heerlijke dorstlesser. Voor vlierbloesemthee doet u wat schermen met een theezakje in de theepot. Schenk er kokend water op en laat de thee 5 minuten trekken.

STRAWBERRY SOUP

Puree 500 g strawberries in a food processor, put the puree through a sieve and add vanilla sugar or orange liqueur to taste. If necessary dilute with a little orange juice. Divide the puree over 4 soup plates, place a spoonful of sour cream in the middle and garnish with mint.

STRAWBERRY SALAD

In a salad bowl place 1/2 head iceberg lettuce cut into strips. Quarter 250 g strawberries and divide over the lettuce. Beat a dressing of 4 tbsp. oil, 1 tbsp. white wine vinegar, 2 tbsp. orange juice, salt and lots of freshly ground pepper and pour over the salad.

ELDER FLOWER SYRUP

flowers from the elder tree
sugar
juice of approx. 2 lemons

Fill a large saucepan with flowers from the elder tree, stems as much removed as possible. Pour over enough warm water to nearly cover and put on a lid. Place the pan in a large pan filled 2/3 with hot water and simmer approx. 2 hours. Put through a sieve and measure the liquid. Use 100 g sugar for every decilitre liquid. Bring the liquid and sugar to a boil and boil till all sugar has dissolved. Remove the pan from the heat, stir in lemon juice, cool the syrup and pour into clean bottles.

> The elder tree grows wild and flowers from May till June. The small tree or hegde grows to about 6 meters and has pinnate leaves and flowers with a strong perfume. The flowers are used infused in water as tea or as cordial to make a lovely thirst-quenching ice cold drink. To make tea place some flowers with a teabag in a teapot, pour over hot water and steep for 5 minutes.

Pruimen op cognac / Plums preserved in Cognac (p. 59)

ZOETZURE MIXED PICKLES

1 komkommer
500 g kleine (zilver)uitjes
1 kleine bloemkool
1 rode paprika
200 g zeezout
1 liter azijn
500 g riet- of lichtbruine basterdsuiker
mespunt geelwortel
1 eetl. inmaakkruiden*
1 kaneelstokje
6 kruidnagels
1 theel. mosterdzaad

SWEET AND SOUR MIXED PICKLES

1 cucumber
500 g small (pearl) onions
1 small cauliflower
1 red sweet pepper
200 g coarse salt
1 litre vinegar
500 g demarara or light brown sugar
pinch tumeric
1 tbsp. pickling herbs*
1 cinnamon stick
6 cloves
1 tsp. mustard seeds

De komkommer wassen en in blokjes snijden. De zilveruitjes pellen. De bloemkool en de paprika schoonmaken, de bloemkool in roosjes verdelen en de paprika in reepjes snijden. Het zout in 1 1/2 liter water laten koken tot het zout is opgelost en de pekel laten afkoelen. Alle groenten in een grote pan overdoen en de pekel erop schenken tot alle groenten onderstaan. De groenten 24 uur laten staan. De groenten laten uitlekken, afspoelen met koud water en opnieuw laten uitlekken. In een pan de resterende ingrediënten 10 minuten zachtjes laten koken. De groenten toevoegen en deze hooguit 5 minuten meekoken. Alles in schone inmaakpotten overdoen en de potten afsluiten en omgekeerd op een plank laten afkoelen.

Wash and cube the cucumber. Clean cauliflower and red pepper, divide the cauliflower into rosettes and cut the pepper into strips. Add salt to 1 1/2 litre of water and boil till the salt is dissolved. Let cool. Place all vegetables into a large saucepan, fill with brine and soak the vegetables 24 hours.
Drain the vegetables, rinse with cold water and drain again. Heat the remaining ingredients 10 minutes on low heat, add the vegetables and cook no more than 5 minutes. Spoon the mixture into clean jars, put a lid on and cool turned upside down.

*Inmaakkruiden zijn kant en klaar in zakjes te koop of u stelt ze zelf samen. Voor ca. 4 eetl. hebt u nodig: 1 theel. korianderzaad, 1 theel. mosterdzaad, 1 theel. witte peperkorrels, 1 theel. kruidnagels, 1 theel. pimentbessen, 2 gedroogde chilipepertjes, stukje gemberwortel van 2 cm, 1/2 kaneelstokje en 2 laurierblaadjes.

*Pickling herbs can be bought ready made in packages or can be put together personally. For approx. 4 tbsp. use: 1 tsp. coriander seeds, 1 tsp. mustard seeds, 1 tsp. white peppercorns, 1 tsp. cloves, 1 tsp. allspice berries, 2 dried chilli peppers, 2 cm piece of fresh gingerroot, 1/2 cinnamon stick and 2 bay leaves.

Mixed pickles werden 's zomers vooral ingemaakt om op koude winterdagen bij stamppotten (boerenkool) als bijgerecht te serveren.

Mixed pickles were preserved in the summer to serve with "stamppot" (hotchpotch) on cold winter days.

RATAFIA

1 liter brandewijn
5 kruidnagels
1 kaneelstokje
citroenschilletje
1 kg vruchten van het seizoen: aardbeien, frambozen,
zwarte bessen, morellen en perziken
300 g witte kandijsuiker

De brandewijn in een schone weckpot gieten. De kruid-nagels, het kaneelstokje en citroenschilletje erin leggen. Achtereenvolgens steeds de schoongemaakte en goed drooggedepte vruchten van het seizoen in een weckpot leggen en deze met een laagje kandijsuiker afdekken. De weckpot na het vullen van de vruchten steeds goed afsluiten. De ratafia enkele maanden laten staan en de vruchten met de likeur in een glas opdienen.

> Ratafia is een ouderwets Nederlands drankje, gemaakt van verschillende vruchten op brande-wijn. Duitsland kent een soort gelijke versie met rum, die rumtopf wordt genoemd.

MOERBEIEN OP BRANDEWIJN

500 g moerbeien
ca. 200 g suiker
evt. stokje pijpkaneel
1/2 liter brandewijn (tenminste 35%)

De moerbeien wassen, laten uitlekken en droogdeppen. De moerbeien met de suiker en evt. het kaneelstokje in een goed schoongemaakte pot overdoen en de brande-wijn erop schenken. De pot luchtdicht afsluiten en 3 maanden laten staan alvorens te gebruiken.

Tip
Moerbeibomen kwamen in Nederland niet veel voor. Toch stond er in de jaren zeventig nog een op een bin-nenplaatsje in Leiden aan de Donkersteeg. Niet alle jaren gaven ze veel vruchten, maar ik kan mij herinneren dat er een jaar was dat we vele potten hebben inge-maakt. Moerbeien zien eruit als grote rode bramen, maar schimmelen na de pluk binnen het uur. Daarom moesten ze snel worden verwerkt. Inmaken op brande-wijn was een uitstekende manier om in korte tijd veel moerbeien te conserveren.

RATAFIA

1 litre brandy for preserving
5 cloves
1 cinnamon stick
lemon peel
1 kg fruit in season: strawberries, raspberries, black
currants, morello cherries, peaches
300 g sugar candy

Pour the brandy into a clean jar. Add cloves, cinnamon stick and lemon peel. According to the season layer the well cleaned and dried fruit and cover each layer with sugar candy. Tightly close the jar after adding each layer of fruit. Leave the ratafia to steep for a few months and serve the fruit and liqueur in a glass.

> Ratafia is an old fashioned Dutch drink of fruits preserved in brandy. Germany has a similar drink of fruit preserved in rum called Rumtopf.

MULBERRIES PRESERVED IN BRANDY

500 g mulberries
approx. 200 g sugar
optional: cinnamon stick
1/2 litre brandy for preserving (at least 35% alcohol)

Wash, drain and dry the mulberries. Spoon mulberries with sugar and cinnamon stick in a well cleaned jar and pour over the brandy. Tightly close the jar with a lid and leave for 3 months before serving.

Tip
Mulberry trees weren't seen very often in Holland. In the seventies one remained in an inner courtyard of the Donkersteeg in Leiden. The crop wasn't plentiful every year, but I can remember one year we were able to pre-serve many a jar!
Mulberries look like blackberries but are very fragile and become mouldy within an hour after picking. That is the reason they have to be preserved so quickly. Preservation in brandy was a good way of preserving a lot of mulberries in a short period of time.

Variaties:
PRUIMEN OP COGNAC
Te werk gaan zoals hiernaast beschreven, de velletjes van de pruimen inprikken en in plaats van brandewijn cognac gebruiken.

FRIESE KORIANDERLIKEUR
In een goed afsluitbare fles of pot 1¹/2 eetl. korianderzaad, 1 kaneelstokje, 3 kruidnagels, 5 jeneverbessen doen. Er 1 liter brandewijn opschenken en 125 g kandijsuiker toevoegen. De fles of pot afsluiten en ten minste 6 weken laten staan zodat de kruiden hun smaak goed aan de brandewijn kunnen afgeven.

Variations:
PLUMS PRESERVED IN COGNAC
See recipe for preserved mulberries. Prick the skin of the plums before placing in the alcohol and use Cognac instead of brandy.

FRISIAN CORIANDER LIQUEUR
Place 1¹/2 tbsp. coriander seeds with 1 cinnamon stick, 3 cloves and 5 juniper berries in a jar with lid. Pour over 1 litre brandy for preserving with 125 g sugar candy. Thightly close jar with a lid and leave for at least 6 weeks in which the herbs give off their taste to the brandy.

WECKEN EN INMAKEN
Vroeger werd in tijden van overvloed thuis ingemaakt voor de winter. Vruchten werden ingemaakt in een suikersiroop of op brandewijn en groenten in grote potten gesteriliseerd (geweckt) of in pekel (zuurkool en bonen) gelegd. Het is bijna niet voor te stellen, maar het is nog geen dertig jaar geleden dat tomaten alleen in de zomer verkrijgbaar waren. Vandaar dat er in die jaren 's zomers tomatenpuree en tomaten in pekelwater voor de wintermaanden werden ingemaakt. Tegenwoordig is het aanbod verse groenten en vruchten zo groot dat er nauwelijks op deze manier nog wordt ingemaakt. Wel worden groenten uit de eigen groentetuin nog steeds ingevroren. Ook jam maken wordt nog wel gedaan, echter niet in die hoeveelheden zoals toen.

CANNING AND PRESERVING
In the old days preserving took place in times of abundance for later use. Fruit was preserved in a syrup or preserving brandy and vegetables were sterilised in glass jars or preserved in brine (sauerkraut and beans). It is hard to imagine that no more than 30 years ago tomatoes were only available in summertime. That is the reason tomato puree and pickled tomatoes were made in summertime for use in the winter. Since nowadays many fresh vegetables and fruits are available throughout the year, preserving in the old way no longer exists. Vegetables from the garden are frozen and jams are still home made, but no longer in quantities of years gone by.

GESTOOFDE AAL

750 g aal, schoongemaakt
50 g boter
zout
1 eetl. citroensap

De aal wassen, droogdeppen en in stukken snijden. Een gietijzeren ovenvaste schaal met ¹/3 van de boter invetten en de aal erin leggen. De vis met zout bestrooien en met citroensap besprenkelen. De resterende boter toevoegen, een deksel op de schaal leggen en de schaal op het petroleumstel of op het fornuis zetten. De aal 1-1¹/2 uur zachtjes laten stoven. Serveren met gekookte aardappelen die met peterselie zijn bestrooid.

STEWED EEL

750 g eel, cleaned
50 g butter
salt
1 tbsp. lemon juice

Wash and dry the eel and cut in pieces. Grease a stainless steel ovenproof dish with ¹/3 of the butter and place the eel in it. Sprinkle with salt and lemon juice. Add remaining butter, put a lid on and simmer 1- 1¹/2 hours on the stove or an oil cooker. Serve with boiled potatoes sprinkled with parsley.

Zooite met butter en eek
Dit is een andere Volendamse variatie op bovenstaand recept. De aardappelen (1kg) worden niet apart gekookt, maar eerst in de pan gelegd. Daarover werden de stukken schoongemaakte paling (750 g) verdeeld en met zoveel water opgezet dat de aardappelen net onder stonden. De aardappelen en de paling met een deksel op de pan ca. 30 minuten koken. De aardappelen en de paling uit de pan scheppen en in een grote schaal overdoen. Het kookvocht op hoog vuur tot 1 dl inkoken en er dan 1 dl azijn en 125 g boter door kloppen.

"Zooite met butter en eek"
is a variation from the village of Volendam. The potatoes (1 kg) aren't cooked separately but are placed into the pan first. Put 750 g eel cut into pieces on top and add enough water to cover the potatoes. Simmer approx. 30 minutes. Remove fish and potatoes from the pan with a slotted spoon. Heat the cooking liquid quickly on high heat till reduced to 1 dl, beat in 1 dl vinegar and 125 g butter.

Zomersalade met radijsjes / Summer salad with radishes (p. 63)

Variatie:
GESTOOFDE AAL OP GROENTENBED

Smoor in 20 g boter 1 middelgrote in dunne ringen gesneden prei met 1/2 in luciferdunne reepjes gesneden winterwortel ca. 5 minuten. Temper het vuur, leg er de stukken aal op, voeg enkele schijfjes citroen toe en giet er 1 dl witte droge wijn bij. Stoof de aal 15 minuten met een deksel op de pan. Serveren met aardappelpuree.

Variation:
STEWED EEL ON A BED OF VEGETABLES

Sautee 1 medium sized cleaned and sliced leek with half a julienne carrot approx. 5 minutes in 20 g butter. Lower the heat, place the eel with several slices of lemon on the vegetables and pour over 1 dl white wine. Stew the eel 15 minutes with a lid on the pan. Serve with mashed potatoes.

Het recept van de gestoofde aal kregen wij van Mevrouw Jacobs uit Almere, die aal nog steeds zo maakt zoals dat vroeger bij haar thuis in Volendam op het petroleumstel werd gedaan. Met name haar man is er dol op, want door de lange bereidingtijd op zeer laag vuur kunnen alle ingrediënten goed op elkaar inwerken. Inmiddels is de petroleum wegens de penetrante petroleumgeur vervangen door lampenolie, maar verder is de bereiding hetzelfde. Zou de lange stooftijd bij lage temperatuur het geheim zijn?

Mrs Jacobs from Almere sent us this recipe of stewed eel. She still prepares eel the way it was done in her parental home in Volendam on an oil cooker. Her husband especially loves the dish since all ingredients mingle nicely during the long and slow cooking time. Because of the strong smell of paraffin oil, lamp oil is used instead nowadays. Does the secret maybe lie in the long and slow stewing?

GESTOOFDE KABELJAUWSTAART MET MOSTERDSAUS

1 kg kabeljauwstaart
1-1 1/2 dl visbouillon
100 g boter
1 citroen
paneermeel
enkele takjes peterselie
aardappelen

VOOR DE SAUS:
25 g boter
25 g bloem
1-1 1/2 dl visbouillon
1 dl melk
1-2 eetl. Zaanse mosterd

STEWED TAIL OF COD WITH MUSTARD SAUCE

1 kg tail of cod
1-1 1/2 dl fish stock
100 g butter
1 lemon
breadcrumbs
parsley
potatoes

FOR THE SAUCE:
25 g boter
25 g bloem
1-1 1/2 dl fish stock
1 dl milk
1-2 tbsp. "Zaanse" mustard

De graat uit de staart nemen door ze over de gehele lengte los te maken en eruit te trekken of door de vis langs een zijkant open te snijden en zo de graat verwijderen. De kabeljauw in een ovenvaste schaal leggen en er een bodempje visbouillon opgieten. De vis met stukjes boter afdekken en met citroensap besprenkelen. De schaal ca. 20 minuten in een voorverwarmde oven (190 °C) schuiven. De bovenkant met paneermeel bestrooien en de vis nog ca. 10 minuten in de oven laten staan tot de bovenkant mooi bruin is. De vis met schijfjes citroen en takjes peterselie serveren.

Voor de saus de boter in een pan smelten, de bloem erdoor roeren en kort bakken. Geleidelijk de visbouillon en melk al roerend toevoegen tot een gebonden saus ontstaat. De saus op smaak brengen met de mosterd. De vis met de saus gescheiden serveren.

Remove the bone from the tail either by loosening the bone or by cutting the fish open on the side. Place the cod in an ovenproof dish and pour over a little water with fish stock powder. Cover with dots of butter and sprinkle with lemon juice. Place the dish for approx. 20 minutes in a preheated oven (190 °C). Sprinkle with breadcrumbs and return to the oven 10 minutes more until golden brown. Serve the fish with slices of lemon and sprigs of parsley.

Melt the butter for the sauce, stir in the flour and heat briefly. Add the fish stock and milk gradually until the sauce has thickened.

Season the sauce with mustard and serve fish and sauce separately.

Met geboorde aardappeltjes

Om de vis werden vaak ook nog met een aardappelboor uitgeboorde aardappeltjes gelegd, zodat de vis en de aardappeltjes tegelijkertijd gaar waren.

With potato balls

Often small potato balls, made with a special potato baller, were placed around the fish, so that fish and potatoes were cooked at the same time.

ZOMERSALADE MET RADIJSJES

1 bosje radijsjes
1 ui
50 g veldsla
(knoflook)croutons, zie p. 99
evt. 1 eetl. fijngeknipt bieslook

VOOR DE DRESSING:
4 eetl. olie naar keuze
1 eetl. citroensap
mespunt honing
1 theel. mosterd
zout, versgemalen peper

De worteltjes van de radijsjes afsnijden en de blaadjes voorzichtig wegsnijden. De ui pellen en in ringen snijden. De radijsjes wassen en in dunne plakjes snijden of heel laten. De veldsla wassen en droogslingeren. In een slabak de bodem met veldsla bedekken en de radijsjes en de ui erover verdelen. Met croutons en evt. bieslook bestrooien. De ingrediënten voor de dressing door elkaar kloppen en over de salade gieten.

Variaties:
GEITENKAAS MET RADIJS
In een schaaltje 100 g zachte geitenkaas met 4 eetl. room losroeren en vermengen met 1/2 theel. verse tijm. De geitenkaas op toostjes smeren, met een druppel honing besprenkelen en met reepjes radijs en reepjes bieslook garneren.

GESTOOFDE RADIJSJES
De radijsjes schoon maken en in een pan 25 g boter smelten. De radijsjes toevoegen, kort bakken en er 3 eetl. witte wijn op schenken. De radijsjes 10 minuten zachtjes stoven tot ze een mooie blauwe kleur hebben.

TOMATENSOEP

500 g (vlees)tomaten
1 ui
25 g boter
1 laurierblaadje, snufje tijm, enkele peperkorrels
1 liter bouillon
2 eetl. vermicelli of rijst
zout, peper
1 eetl. fijngehakte peterselie

De tomaten wassen en in stukken snijden. De ui pellen en grof hakken. De boter in een pan heet laten worden. De ui erin glazig bakken en de stukken tomaat met het laurierblaadje, de tijm en de gekneusde peperkorrels toe-

SUMMER SALAD WITH RADISHES

1 bunch of radishes
1 onion
50 g lamb's lettuce
(garlic) croutons, see p. 99
1 tbsp. cut up chives (optional)

FOR THE DRESSING:
4 tbsp. oil to choice
1 tbsp. lemon juice
dash of honey
1 tsp. mustard
salt, freshly gound pepper

Carefully remove stalks and green leaves from the radishes and slice radishes thinly. Clean and thinly slice the onion. Wash the lamb's lettuce, remove stalks and spin the lettuce dry. Place lettuce in a salad bowl and top with slices of radish and onion. Sprinkle croutons and chives over the radishes. Mix for the dressing the ingredients and pour over the salad. Mix and serve.

Variations:
GOAT'S CHEESE AND RADISHES
In a bowl stir 4 tbsp. single cream with 1/2 tsp. fresh thyme into 100 g softened goat's cheese. Spread on toast, sprinkle with a little honey and finely cut radishes and chives.

STEWED RADISHES
Clean radishes and heat 25 g butter in a saucepan. Add radishes to butter, sautee quickly and add 3 tbsp. white vinegar. Stew the radishes on low heat 10 minutes until nicely blue coloured.

TOMATO SOUP

500 g (beef) tomatoes
1 onion
25 g butter
1 bay leaf, pinch thyme, some peppercorns
1 litre stock
2 tbsp. vermicelli or rice
salt, pepper
1 tbsp. chopped parsley

Wash and chop the tomatoes. Peel and chop the onion. Heat the butter in a saucepan. Sautee onion and add tomatoes with the bay leaf, crushed peppercorns and thyme. Sautee for a short time, pour on the stock and

Tomatensoep / Tomato soup (p. 63)

voegen. Alles kort bakken, de bouillon erop schenken en aan de kook brengen. De soep met een deksel op de pan nog 25 minuten zachtjes laten koken. De soep zeven of in een foodprocessor pureren, in een schone pan gieten en opnieuw aan de kook brengen. De vermicelli of rijst toevoegen en gaar koken. De soep op smaak brengen met zout en peper en in borden schenken. Met de peterselie garneren.

bring to the boil. Put a lid on the pan and simmer 25 minutes. Put the soup through a sieve or puree it in a food processor. Pour the soup into a clean pan and bring to the boil again. Add vermicelli or rice and heat till done. Season with salt and pepper and serve garnished with parsley.

Variaties:
TOMATENTORENTJE
Per persoon een tomaat in plakjes snijden van ca. 1^1/$_2$ cm. De bodem van een ingevette ovenschaal met 4 plakjes tomaat bedekken, deze met wat pesto bestrijken en achtereenvolgens bedekken met plakje mozzarella, plakje tomaat, pesto en tot slot met een rozetje rauwe ham. Door de tomaat een houten prikker steken. De tomatentorentjes in een voorverwarmde oven (175 °C) zetten tot de kaas is gesmolten. Serveren als voorgerecht met toost of als bijgerecht bij het hoofdgerecht.

GEVULDE TOMAAT
Een kapje van 4 (vlees)tomaten snijden en de tomaten met een lepeltje voorzichtig uithollen. Het vruchtvlees kleinsnijden en vermengen met ansjovispasta, wat pesto en een paar eetl. geraspte kaas en paneermeel en een losgeklopt klein ei. Het mengsel op smaak brengen met zout en peper. De tomaten met het mengsel vullen en in een voorverwarmde oven (175 °C) heet laten worden.

GESTOOFDE TOMAAT
In een pan een klontje boter verhitten en hierin een in partjes gesneden rode ui glazig bakken. Intussen 6 tomaten in partjes snijden, vruchtvlees en zaad verwijderen en met ^{1}/$_4$ theel. Provençaalse kruiden bij de ui doen. De tomaten kort bakken tot ze zacht zijn.

Variations:
TOMATO TOWER
Use 1 tomato per person, and cut it into 1^1/$_2$ cm slices. Butter an ovenproof dish, place 4 tomato slices into the dish and spread with pesto. Layer with Mozzarella, tomato, pesto and finish with a rosette of cured ham. Put a wooden cocktailstick through the slices tomato. Bake the tomato towers in a preheated oven (175 °C) until the cheese has melted. Serve as a starter with toast or as side dish.

STUFFED TOMATOES
Slice the top of 4 (beef) tomatoes and carefully remove pulp and seeds with a teaspoon. Cut up the pulp and mix with anchovy paste, some pesto, a few tbsp. grated cheese and breadcrumbs, a beaten egg and salt and pepper to taste. Stuff the tomatoes and bake in a preheated oven (175 °C).

STEWED TOMATOES
Heat a little butter in a saucepan and sautee 1 quartered red onion. In the meantime cut up 6 tomatoes, remove pulp and seeds and add tomatoes with ^{1}/$_4$ tsp. Provençale herbs to the onion. Fry until soft.

VRUCHTENVLAAI
TAARTVORM 28 CM DOORSNEDE

VOOR HET DEEG:
25 g boter + boter voor het invetten van de vorm
125 ml melk
250 g bloem
mespunt zout
^{1}/$_2$ zakje gedroogde gist
1 eetl. suiker
1 ei

VOOR DE VULLING:
verse vruchten naar keuze (abrikozen, perziken, kersen zonder pit, aardbeien)
suiker
1 zakje taartgeleipoeder
2^1/$_2$ dl appelsap

"VRUCHTENVLAAI"
TARTE TIN OF 28 CM DIAMETER

FOR THE DOUGH:
25 g butter + extra for greasing
125 ml milk
250 g flour
pinch salt
^{1}/$_2$ package dry yeast
1 tbsp. sugar
1 egg

FOR THE FILLING:
fresh fruit to taste (apricots, peaches, stoned cherries, strawberries)
sugar
1 sachet of powdered jelly glaze mix
2^1/$_2$ dl apple juice

De boter voor het deeg in een pannetje smelten. De melk toevoegen en tot lauwwarm (37 ° C) verwarmen. De bloem boven een mengkom zeven, het zout erdoor roeren, een kuiltje in het midden maken en de gist en de suiker

For the dough melt the butter in a saucepan. Add milk and heat to a lukewarm 37 °C. Sift the flour into a bowl, mix in the salt, make a well in the centre and pour in yeast and sugar. Add the lukewarm butter-milk mixture

ker in het kuiltje strooien. Het lauwwarme botermelk-mengsel met het losgeklopte ei (2 eetlepels achterhouden voor het bestrijken) erop schenken, wat van de bloem erop strooien en van de ingrediënten een samenhangend deeg kneden. Van het deeg een bal vormen en deze onder een vochtige doek of onder plastic folie in een mengkom 30 minuten laten rijzen. Intussen de vorm invetten. Het deeg tot een ronde lap die iets groter is dan de vorm met een deegroller uitrollen. Het deeg in de vorm leggen en nogmaals 30 minuten laten rijzen. Intussen de vruchten schoonmaken en ze met suiker bestrooien.

De oven voorverwarmen op 200 °C. De deegbodem met een vork inprikken en afdekken met een stuk alumini-umfolie. Daarover een blinde vulling van bijvoorbeeld overjarige peulvruchten strooien. De deegbodem 15 minuten voorbakken. De folie en de peulvruchten verwijderen en de bodem nog ca. 5 minuten bakken tot deze lichtbruin is. De deegbodem in de vorm laten afkoelen. De taartgelei maken met 2^1/2 dl appelsap volgens de aanwijzingen op het zakje. De vruchten over de deegbodem verdelen en de gelei erover schenken.

with all but 2 tbsp. of the beaten egg, sprinkle with some flour and knead into a smooth dough. Form into a ball, place in a bowl and let rise 30 minutes covered with a damp cloth or cling film.

In the meantime grease the baking tin. Roll dough with a rolling pin to a round slightly larger than the diameter of the tin. Place the dough in the tin and let rise another 30 minutes. In the meantime clean the fruit and sprinkle with a little sugar. Preheat the oven to 200 °C.

Prick the dough with a fork and cover with aluminium foil. Put in a filling of old dried beans or rice. Pre-bake the dough base 15 minutes. Remove foil and beans and bake another 5 minutes or till base is golden brown. Cool in tin.

Arrange the fruit in the base. Prepare the jelly glaze mix with 2^1/2 dl apple juice and pour over the fruit.

Variatie:
RIJSTEVLAAI

Voor de vulling 90 g paprijst met ^{3}/4 liter melk, mespunt zout, 1 zakje vanillesuiker in een pan met dikke bodem al roerend aan de kook brengen en een uur zachtjes laten koken. Een deegbodem kneden en 30 minuten laten rijzen zoals hierboven beschreven. Intussen 2 dooiers met 2 eetl. suiker wit schuimig kloppen en door de rijstebrij spatelen. Vervolgens de eiwitten met een snufje zout stijfslaan en erdoor spatelen. De luchtige rijstebrij over de deegbodem verdelen. De bovenkant gladstrijken en de rijstevlaai ca. 25 minuten in de hete oven bakken.

Variation:
"RIJSTEVLAAI"

For the filling bring in a thick bottomed pan 90 g short grain rice with ^{3}/4 litre milk, pinch salt,1 sachet vanilla sugar to the boil, stir occasionally and simmer 1 hour. Knead the dough and let rise 30 minutes as described above. Beat 2 egg yolks with 2 tbsp. sugar till white and frothy and spoon into the rice porridge. Beat the egg whites with a pinch of salt until stiff and fold into porridge. Divide the frothy porridge over the dough base, even the top and bake approx. 25 minutes in the hot oven.

FLENSJES
10 STUKS

125 g bloem
2^1/2 dl melk
2 eieren
snufje zout
boter

vanille-ijs
chocoladesaus

"FLENSJES" (CREPES)
MAKES ABOUT 10

125 g flour
2^1/2 dl milk
2 eggs
pinch salt
butter

vanilla ice cream
chocolate sauce

De bloem boven een mengkom zeven, ^{3}/4 deel van de melk toevoegen en met een garde tot een dik, glad beslag kloppen. De eieren met de resterende melk los-kloppen, door het deeg roeren en het beslag op smaak brengen met zout. In een koekenpan een klontje boter verhitten tot het enigszins bruin is. Een soeplepel beslag in de pan gieten. De pan ronddraaien tot de gehele bodem met het beslag is bedekt. Het flensje keren als de bovenkant droog is. De flensjes 2 keer opvouwen en ser-veren met een bolletje vanille-ijs en chocoladesaus.

Sift the flour into a bowl, add ^{3}/4 of the milk and beat into a thick, smooth batter. Whisk the eggs with the remaining milk, spoon into the batter and add salt to taste. Heat a dollop of butter in a frying pan and let it brown slightly. Pour a small ladle of batter into the pan, rotate the pan till the bottom is coated with the batter. Turn the crepe when the top is dry. Fold the crepes twice and serve with a scoop of vanilla ice cream and chocolate sauce.

Variaties:
FLENSJESTAART MET HONING EN NOTEN

Op een bord een flensje leggen, het flensje dun met honing bestrijken en met fijngehakte noten bestrooien. Het flensje afdekken met een tweede en de handelingen herhalen tot er een flensjestaart ontstaat.

FLENSJESTAART MET SPINAZIE EN ZALM

Op een bord een flensje leggen en deze afdekken met wat grof gesneden bladspinazie (diepvries), daarover wat zalm (blik) verdelen en zo verder stapelen tot de zalm en spinazie zijn gebruikt. De taart afdekken met een kaassaus en ca. 35 minuten in een voorverwarmde oven zetten tot de bovenkant een mooi kleurtje heeft en de taart lekker warm is.

POFFERTJES

In een mengkom 100 g bloem en 100 g boekweitmeel strooien. Door het meelmengsel $1/2$ zakje gist roeren en een kuiltje in het midden maken. In het kuiltje $1/2$ theel. zout strooien en 2 losgeklopte eieren doen. Er geleidelijk 3 dl lauwe melk door roeren tot een dik en stevig glad beslag ontstaat. Een poffertjespan invetten, in elke opening wat beslag gieten en de poffertjes omkeren als de bovenkant droog is. De poffertjes met boter en poedersuiker serveren.

Kermis

Als er kermis is, staat er ook bijna altijd een Oudhollandse poffertjeskraam, waar buiten op het terras poffertjes op een grote gietijzeren plaat worden gebakken. Opvallend is de enorme berg boter en een mooie koperen pot met beslag die daar in de buurt staan te pronken. Poffertjes is een oud Hollands kermisgebak, waar men name kinderen dol op zijn. Ze worden op kleine bordjes per 6 of 12 stuks rijkelijk bestrooid met poedersuiker en een klont boter verkocht.

OSSENHAAS IN EEN GROENTETUINTJE
OSSENHAAS À LA JARDINIÈRE

1 kg ossenhaas
zout, peper
100 g boter
1 kleine bloemkool
300 g doperwtjes
500 g asperges
300 g snijboontjes
aardappelpuree

De ossenhaas met zout en peper inwrijven. De boter in een braadpan verhitten en als het schuim voor de helft is weggetrokken het vlees snel aan alle kanten bruin bakken. De hittebron temperen en het vlees nog 20 minuten met een deksel schuin op de pan nabakken.
Intussen de groenten schoonmaken en beetgaar koken. De aardappelpuree in een spuitzak met een grof spuitmondje overdoen en warmhouden.
Het vlees uit de pan nemen, in plakjes snijden en de plakjes in de vorm van de haas midden op een voorverwarm-

Variations:
"FLENSJESTAART" WITH HONEY AND NUTS

Place a crepe on a plate, spread with a little honey and sprinkle with chopped nuts. Place a new crepe on top, fill with honey and nuts and continue till a cake is formed.

"FLENSJESTAART" WITH SPINACH AND SALMON

Place a crepe on a plate, cover with roughly chopped spinach (frozen), divide salmon (tin) over it and continue till all spinach and salmon is used. Spread over a cheese sauce and place "flensjestaart" approx. 35 minutes in a warm oven till golden and warm.

"POFFERTJES"

Put 100 g flour and 100 g buckwheat flour into a bowl. Mix in $1/2$ sachet of dry yeast and make a well into the mixture. Into the well drop $1/2$ tsp. salt and 2 beaten eggs. Gradually add 3 dl lukewarm milk to form a thick and smooth batter. Grease a special "poffertjes pan", into each well pour a little batter and turn the "poffertjes" when dry on top. Serve with butter and icing sugar.

Funfair

In Holland no funfair goes without a traditional "poffertjes" stand with a terras to eat poffertjes in the open air while watching the baking of them in a large castiron plate. Eye-catching are the enormous mount of butter and the beautiful copper container with batter on standby. Poffertjes are served on a small plate 6 or 12 at the time, smothered in butter and dusted with lots of sugar.

TENDERLOIN IN A VEGETABLE GARDEN
TENDERLOIN A LA JARDINIÈRE

1 kg tenderloin
salt, pepper
100 g butter
1 small cauliflower
300 g peas
500 g asparagus
300 g haricots verts
mashed potatoes

Rub the beef with salt and pepper. Heat the butter in a heavy saucepan, add beef when half of the foam has subsided and sear on all sides. Turn the heat down and heat the meat for another 20 minutes with a lid partially on. In the meantime clean the vegetables and cook 'al dente'. Spoon the mashed potatoes into a piping bag with a large plain tube and keep warm.
Remove the beef from the pan, slice it and place the slices in the original form in the centre of a preheated serving plate. Add some milk to the drippings in the pan.

Poffertjes / "Poffertjes" (p. 67)

de, lage schotel leggen. Een scheutje melk door het bakvet roeren. De groenten, soort bij soort eromheen rangschikken en met aardappelpuree een afscheiding tussen de diverse soorten groenten maken. De jus er apart bij serveren.

Arrange each vegetable on the plate around the tenderloin and make a division with the mashed potatoes. Serve the gravy separately.

Variatie:
GEPOCHEERDE ROSBIEF

In een wijde pan 3/4 liter runderbouillon of fond tot de helft laten inkoken. Er 3 1/2 dl rode wijn bij schenken en de vloeistof opnieuw tot een derde inkoken. In een passend pan 3/4 liter runderbouillon aan de kook brengen. Een stuk rosbief (600 g) er met een bouquet garni (kruidenbuiltje van prei, laurier, tijm en peterselie) in leggen en het vlees ca. 20 minuten pocheren. Intussen de met wijn ingekookte bouillon binden door er 50 g boter klontje voor klontje door roeren. De saus op smaak brengen met 2 eetl. fijngehakte peterselie, 2 eetl. bieslook, 2 eetl. fijngehakte kervel en zout en peper naar smaak. Roer er voor de kleur nog 1 in stukjes gesneden tomaat (zonder zaad en vocht) door. De gepocheerde rosbief serveren met gestoomde groenten (reepjes courgette, broccoliroosjes, peultjes en worteltjes).

Variation:
POACHED TENDERLOIN

Reduce to half in a wide saucepan 3/4 litre beef stock or fond. Pour in 3 1/2 dl red wine and reduce to one third. In the meantime bring 3/4 litre beef stock to the boil. Place 600 g tenderloin with a bouquet garni of leek, bay leaf, thyme and parsley into the stock and poach the beef approx. 20 minutes. Thicken the reduced stock-wine mixture by whisking in small pieces of a total of 50 g butter at the time. Add 2 tbsp. chopped parsley, 2 tbsp. chopped chives and 2 tbsp. chopped chervil with salt and pepper to taste. For colour add 1 chopped tomato (without seed and liquid). Serve the poached tenderloin with steamed vegetables (julienne of courgette, broccoli rosettes, mange-tout and baby carrots).

SCHUIMIGE FRAMBOZENPUDDING

500 g frambozen
sap van 1 citroen
100 g witte basterdsuiker
15 g gelatine
1/4 liter slagroom

FOAMY RASPBERRY PUDDING

500 g raspberries
juice of 1 lemon
100 g soft white sugar
15 g gelatine
1/4 litre double cream

De frambozen wassen, droogdeppen en enkele mooie exemplaren achterhouden voor de vulling. De resterende frambozen pureren met een staafmixer- of in een foodprocessor. Het citroensap toevoegen. De gelatine in ruim koud water weken. De slagroom met de suiker stijfkloppen en tot gebruik in de koelkast zetten. De gelatine met weinig water al roerend in een pannetje verwarmen tot de gelatine is opgelost, maar niet laten koken. Het gelatinemengsel even laten staan en dan door de koude frambozenpuree roeren. Tot slot de slagroom erdoor spatelen en als het mengsel stijf begint te worden de achtergehouden frambozen erdoor roeren en het mengsel in een met water omgespoelde puddingvorm van ca. 1 liter inhoud gieten. De pudding in de koelkast laten opstijven.
De vorm kort in heet water dompelen en de pudding storten op een bord. De pudding eventueel met toefjes slagroom en frambozen garneren.

Wash and dry the raspberries, keep a few good onces for decoration. Mash the remaining raspberries in a food processor or liquidiser and add lemon juice. Soften the gelatine covered with cold water. Beat the cream and sugar till thick and place into the fridge. Heat the squeezed gelatine with a little water in a small saucepan and stir till dissolved. Do not boil. Let stand shortly and spoon through the cold raspberry puree. Fold in the beaten cream and spoon in the whole raspberries when the mixture starts to thicken. Rinse a mould of approx. 1 litre with cold water, pour in the pudding mixture and let set in the fridge.
Before serving dip the mould shortly into warm water to un-mould. Decorate the pudding with whipped cream and raspberries if wanted.

GRIESMEELPUDDING MET BOSVRUCHTEN-COMPOTE

3/4 liter melk
citroenschilletje
70 g griesmeel
60 g suiker
snufje zout

VOOR DE COMPOTE:

400 g bosvruchten naar keuze
1 dl appelsap
1 zakje vanillesuiker
1 eetl. maïzena

De melk met het citroenschilletje aan de kook brengen, 10 minuten laten trekken en het schilletje verwijderen. De griesmeel met de suiker en het zout vermengen en al roerend aan de melk toevoegen. De melk opnieuw al roerend aan de kook brengen en onder af en toe roeren ca. 6 minuten zachtjes door koken tot de melk is gebonden. De hete puddingmassa overdoen in een met koud water omgespoelde puddingvorm. De pudding laten afkoelen en opstijven.

De bosvruchten evt. wassen en met het appelsap en de vanillesuiker verwarmen tot de vruchten hun vocht loslaten. De maïzena met 2 eetlepels water losroeren en hiermee het vocht binden. De bosvruchtencompote laten afkoelen. De pudding op een platte schaal storten en de bosvruchten eromheen schenken.

Variatie:
GRIESMEELPAP MET ROZIJNEN EN AMANDELEN

3/4 Liter melk met 60 g gewassen rozijnen aan de kook brengen. 50 G griesmeel, 40 g suiker met snufje zout door elkaar roeren en al roerend in de melk aan de kook laten komen en er in ca. 6 minuten pap van koken. Vlak voor het serveren 1 zakje (45 g) fijngehakte amandelen erdoor roeren.

SEMOLINA PUDDING WITH BLACK BERRY COMPOTE

3/4 litre milk
lemon peel
70 g semolina
60 g sugar
pinch salt

FOR THE COMPOTE:

400 g dark red fruits
1 dl apple juice
1 sachet vanilla sugar
1 tbsp. cornflour

Bring milk with lemon peel to the boil, heat on low heat for 10 minutes and remove peel. Mix semolina with sugar and salt and pour into milk while stirring. Bring the milk to the boil, stirring constantly and let thicken on low heat in approx. 6 minutes while stirring. Rinse a mould with cold water, pour in the hot pudding mixture and leave to set and cool.

Wash fruit if needed and heat till soft in apple juice and vanilla sugar. Mix cornflour with 2 tbsp. of water and thicken the juice. Let compote cool. Un-mould the pudding on a serving plate and pour the compote around it.

Variation:
SEMOLINA PORRIDGE WITH RAISINS AND ALMONDS

Bring 3/4 litre milk with 60 g rinsed currants to the boil. Mix 50 g semolina, 40 g sugar and pinch of salt and add to milk while stirring. Bring to the boil and let thicken to make porridge in approx. 6 minutes. Just before serving add 1 sachet (45 g) of chopped almonds.

Ossenhaas in groentetuintje / Tenderloin in a vegetable garden (p. 67)

Typisch Hollands

In de kolonie Nederlands Indië, later Indonesië, maakten de Nederlanders kennis met de uitgebreide Indische gerechten. De lokale bevolking was niet gewend meer dan hooguit 4 gerechten per maaltijd te serveren. De Chinezen echter kenden al eeuwen de gewoonte om een groter aantal gerechten te gelijkertijd op tafel te zetten samen met gekookte witte rijst. De Nederlanders vonden de lokale gerechten zo lekker dat zij voor gasten op feestdagen meerdere gerechten tegelijkertijd wilden serveren en zij namen de gewoonte van de Chinezen over. Zo ontstond de rijsttafel die nu over de gehele wereld bekend is. Bij een goede rijsttafel staan minimaal 6 en maximaal 27 gerechten op tafel, altijd met enkele bijgerechten zoals seroendeng (gebakken, geraspte kokos met noten), pisang goreng (gebakken banaan) en kroepoek (gefrituurde vismeelkoekjes in vele variaties).
Bij een rijsttafel wordt traditioneel ijswater geschonken, maar bier of witte wijn passen er ook bij, evenals thee.

Typically Dutch

The Dutch became acquainted with the extensive Indonesian kitchen in their colony the Dutch Indies, later to become Indonesia. The local population served no more than 4 dishes at one meal. The Chinese however had a century long custom of serving many dishes at the same time accompanied by white rice. The Dutch so much liked the local Indonesian dishes that they wanted their guests to enjoy a lot of these during festive meals, so they copied the Chinese custom. And that is how the "Rijsttafel" became known the world over. At a good rijsttafel at least 6 and no more than 27 dishes are being served, always including a few side dishes such as serundeng (fried, grated coconut and nuts), pisang goreng (fried banana) and kroepoek (deep fried fishmeal cookies in many variations).
Traditionally only ice water is served with a rijsttafel, but beer or white wine and even tea go well with it too.

NASI GORENG

1-2 uien
2 teentjes knoflook
1 eetl. sambal of naar smaak
1/2 theel. trassi
300 g gaar vlees (bijv. ham, kip of varkensvlees)
4 eetl. olie
500 g gare rijst
2 eetl. ketjap

NASI GORENG

1-2 onions
2 cloves garlic
1 tbsp. sambal (hot pepper sauce) or to taste
1/2 tsp. trassi (shrimp paste)
300 g cooked meat (e.g. ham, chicken or pork)
4 tbsp. oil
500 g cooked rice
2 tbsp. ketjap (Indonesian soy sauce)

De uien en de knoflook pellen en met de sambal en de trassi in een foodprocessor of staafmixer pureren. Het vlees kleinsnijden. De olie in een wok verhitten en het kruidenmengsel enkele minuten bakken. Het vlees erdoor scheppen en kort meebakken. Beetje bij beetje de rijst erdoor roeren en alles goed doorbakken. Het gerecht op smaak brengen met ketjap. Eventueel garneren met een omelet van 2 eieren.

Peel onions and garlic and puree in food processor of liquidiser with sambal and trasi. Cube the meat. Heat the oil in a wok and fry the puree and spice mix a few minutes. Mix in the meat and fry shortly. Little by little add the rice and fry till hot. Add ketjap to taste. If wanted garnish with an omelette of 2 eggs.

De Nederlanders zeggen nog wel eens: "We eten vanavond "nasi". Wat ze bedoelen te zeggen is: "We eten vanavond nasi goreng". Nasi betekent gekookte witte rijst, nasi goreng is gebakken rijst.
In Indonesië wordt nasi goreng als ontbijtgerecht geserveerd met restjes van de vorige dag. De samenstelling staat dus niet vast, behalve dat er altijd ui, knoflook, sambal en ketjap in zit.
Sambal is in Nederland overal kant en klaar verkrijgbaar. Een eenvoudige sambal is de *sambal ketjap*: een saus van fijngewreven kleine pepertjes met sojasaus. Of de *sambal tjoeka*: een saus van geblancheerde pepertjes en knoflook die met azijn tot een dikke saus worden gewreven. Beide sambals worden bij nasi en bami geserveerd.

The Dutch sometimes will say: "We are having "nasi" for dinner." What they mean to say is "We will be eating "nasi goreng" tonight." Nasi means cooked white rice, whereas nasi goreng is the fried rice dish.
In Indonesia nasi goreng is a breakfast dish made with left-overs of the night before and the ingredients therefor vary. However nasi goreng always contains onion, garlic, hot pepper paste and ketjap.
In Holland sambal (red pepper paste) is readily available. A simple sambal is the '*sambal ketjap*': a sauce made of a mixture of ground red chili peppers and Indonesian soy sauce called '*ketjap*'. Or '*sambal tjoeka*': a thick paste of blanched chilli peppers, garlic and vinegar. Both these sambals go well with 'nasi' and 'bami'.

BAMI GORENG

400 g mie
300 g hamlappen
200 g gekookte ham
1 prei
1 ui
3 teentjes knoflook
3 eetl. olie
200 g witte of savooienkool, gesneden
50 g Noorse garnalen
ketjap

De mie volgens de gebruiksaanwijzing gaar koken en laten uitlekken. Het vlees kleinsnijden. De groenten schoonmaken en kleinsnijden. De olie in een wok verhitten en daarin eerst het varkensvlees rondom bruinbakken. De groenten toevoegen en al omscheppend beetgaar bakken. De mie, ham, garnalen en ketjap toevoegen en alles ca. 5 minuten roerbakken.
Het gerecht eventueel serveren met een omelet van 2 eieren.

> Bami goreng komt oorspronkelijk uit de Chinees-Indische keuken.

BAMI GORENG

400 g mie (Chinese noodles)
300 g boneless pork
200 g ham
1 leek
1 onion
3 cloves garlic
3 tbsp. oil
200 g white or savoye cabbage
50 g shrimp
ketjap (Indonesian soy sauce)

Cook mie according to the instructions and drain. Cube the meat. Clean and cut the vegetables. Heat the oil in a wok and start by browning the pork. Add the vegetables and stirfry till crisp. Mix in mie, ham, shrimp and ketjap and stirfry approx. 5 minutes. If wanted garnish with an omelette of 2 eggs.

> Bami goreng has its origin in the Chinese-Indonesian kitchen.

Gekookte mosselen / Cooked mussels (p. 98)

Herfst
Autumn

November was vroeger de slachtmaand voor met name varkens, omdat ze dan met het verse voer van de zomer waren vetgemest en het voer schaarser en duurder was in de winter. Omdat er nog geen diepvriezers waren, werd het vlees geconserveerd. Een van de conserveringsmethodes was pekelen.

Rond 1875 werd er op grote schaal zout van België naar Nederland gesmokkeld omdat zout bij ons duur was door de accijnsheffing van de Nederlandse regering. België kende deze accijns niet.

November used to be the month of slaughter, especially for pigs, because at this time they were fat from the fresh summer feed. In winter time feeding was more expensive, so the pigs had to be slaughtered. Since deepfreezers didn't exist the meat was conserved and one conserving method was in brine. Around 1875 salt was smuggled on a large scale from Belgium to The Netherlands. In Holland salt was expensive because of taxes put on it by the Dutch government, whereas Belgium had no tax on salt.

HELDERE OSSENSTAARTSOEP MET MADEIRA

1 ui
1 prei
2 worteltjes
enkele takjes bladselderij
2 tomaten
50 g ontbijtspek
15 g boter
750 g ossenstaart in stukken
snufje tijm
1 laurierblad
5-6 peperkorrels
1 eetl. zout
versgemalen peper
scheutje madeira

CLEAR OXTAIL SOUP WITH MADEIRA

1 onion
1 leek
2 small carrots
several celery leaves
2 tomatoes
50 g bacon
15 g butter
750 g oxtail, cut in pieces
pinch thyme
1 bay leaf
5-6 peppercorns
1 tbsp. salt
freshly ground pepper
dash of Madeira

De ui pellen en grof hakken. De prei schoonmaken, in ringen snijden en wassen. De worteltjes schrappen en in plakjes snijden. De bladselderij wassen en grof hakken. De tomaten wassen en in vieren snijden. Het spek in de boter uitbakken en met een schuimspaan uit de pan nemen. De ossestaart aan alle kanten in het bakvet bruinbakken. De overige ingrediënten, behalve het zout, de versgemalen peper en de madera, toevoegen. Vervolgens 1 1/2 liter koud water erop schenken. Het water aan de kook brengen, het gevormde schuim er met een schuimspaan afscheppen en de soep 3-4 uur zachtjes laten trekken.

De soep eerst door een zeef schenken en daarna door een schone, vochtige doek zeven. Op smaak brengen met zout en peper en een scheutje madeira.

Peel and roughly chop the onion. Clean, slice and wash the leek. Peel and slice the carrots. Wash and roughly chop the celery leaves. Wash and quarter the tomatoes. Fry the bacon in the butter till crisp and remove from the pan with a slotted spoon. Brown the oxtail in the fat on all sides. Add the remaining ingredients except salt, pepper and Madeira. Pour on 1 1/2 litre cold water, bring to the boil, remove the scum with a ladle and simmer 3-4 hours.

First pour the soup through a sieve and next through a cloth lined sieve. Season with salt, pepper and a dash of Madeira.

BRABANTSE WORST

500 g varkensvlees
3 sneetjes oud wittebrood
1 dl melk
1 ei
50 g boter
50 g reuzel
1 hardgekookt ei
nootmuskaat
peper, zout
(kunst)darm
boter om te bakken

Het vlees kleinsnijden en in een vleesmolen tot gehakt vermalen. De korstjes van het brood snijden. De melk verwarmen en het brood erin weken. Het ei loskloppen, de boter smelten, de reuzel kleinsnijden en het hardgekookte ei verkruimelen. Het gehakt met het melkbroodmengsel, het eimengsel, de boter, reuzel, het verkruimelde ei en nootmuskaat, zout en peper naar smaak vermengen. Het vleesmengsel in een spuitzak met gladde spuitmond overdoen. In de darm aan een kant een knoop leggen en het vleesmengsel erin spuiten. Het uiteinde dichtknopen en de worst in ruim water met zout (1/2 eetlepel per liter) in ca. 30 minuten gaar koken. De worst laten schrikken in koud water en laten uitlekken. De worst in plakken snijden en vlak voor het serveren de plakken in hete boter aan weerskanten bakken.

SAUSAGE FROM THE PROVINCE OF BRABANT

500 g boneless pork
3 slices day old white bread
1 dl milk
1 egg
50 g butter
50 g lard
1 hard-boiled egg
grated nutmeg
pepper, salt
(artificial) casing
butter for frying

Cut and mince the meat. Remove the crust from the bread. Heat the milk and soak the bread in it. Beat the eggs, melt the butter, cube the lard and crumble the hard-boiled egg. Mix minced meat with bread and milk, beaten egg, butter, lard and crumbled egg. Tie a knot in the casing and spoon the meat mixture through a funnel into the casing. Tie a knot at the other end and boil the sausage covered with water and salt (1/2 tbsp. per litre water) approx. 30 minutes.
Drop the sausage in cold water and drain. Slice the sausage and just before serving fry the the slices in hot butter on both sides.

SCHOENLAPPERSTAART

6 grote moesappelen
6 (volkoren)beschuiten
1/2 eetl. kaneel
35 g boter
35 g suiker
1 zakje vanillesuiker
2 eieren

De appelen schillen, in vieren snijden en de klokhuizen verwijderen. De stukjes appel met zo min mogelijk water in ca. 5 minuten tot moes koken. Het mengsel zeven. De beschuiten in een foodprocessor fijnmalen en het paneermeel met de kaneel, boter, suiker, vanillesuiker en eierdooiers door de appelmoes roeren. De eiwitten stijfkloppen en door de appelmoes spatelen. Het mengsel in een taartvorm overdoen en op het rooster midden in een voorverwarmde oven (175 °C) in ca. 35 minuten bruin en gaar bakken. De taart warm of koud serveren.

COBBLER'S PIE

6 large cooking apples
6 (whole wheat) rusks
1/2 tbsp. cinnamon
35 g butter
35 g sugar
1 sachet vanilla sugar
2 eggs

Peel, quarter and core the apples. Cook to a pulp in approx. 5 minutes with as little water as possible. Put through a sieve. Finely crush the rusks in a food processor and mix crumbs, cinnamon, sugar, vanilla sugar and egg yolks into the applesauce. Beat the egg whites and fold into the apple mixture. Spoon into a pie dish and bake in the centre of a preheated oven (175 °C) approx. 35 minutes till golden and done. Serve hot or cold.

Schoenlapperstaart / Cobbler's pie (p. 79)

Variatie:
SCHOENLAPPERSPUDDING

Deze pudding is een variatie op de schoenlapperstaart en wordt niet in de oven, maar au bain-marie in een warme broodpuddingvorm van blik op het fornuis bereid. De bereidingstijd is bijna 3 keer zo lang als die van de schoenlapperstaart.

Bij een schoenlapperspudding worden geen beschuiten, maar sneetjes oud brood gebruikt. Kook van 500 g moesappelen appelmoes. Roer er 7 sneetjes oud verkruimeld wittebrood (200 g) zonder korst door en klop 3 eierdooiers met 85 g suiker en 1 zakje vanillesuiker schuimig. Roer het dooiermengsel met 75 g rozijnen en 35 g boter door de appelmoes en spatel er tot slot 3 stijfgeslagen eiwitten door. Doe het appelmengsel over in een ingevette broodpuddingvorm. Sluit de vorm met het deksel af en laat het in ca. 1¹/2 uur au bain-marie gaar worden. De schoenlapperspudding met vanillesaus opdienen.

> Voor dit speciale nagerecht is een warme broodpuddingvorm nodig, die helaas vrijwel niet meer te koop is. Een warme broodpuddingvorm ziet eruit als een tulbandvorm en heeft een goed passend deksel. Ze werden gemaakt van blik. U vindt ze nog wel eens op rommelmarkten. Als ze veel zijn gebruik ziet u aan de buitenkant een kalkrand van het (harde) water.

Variation:
COBBLER'S PUDDING

Cobbler's pudding is a variation on the cobbler's pie. Instead of in the oven the dish is prepared au bain-marie on top of the stove in a special mould for warm bread puddings made out of metal. This way the cooking time is 3 times longer. Instead of rusks, day old bread was used.

Boil 500 g cooking apples to a pulp. Mix in 7 slices (200 g) of day old white bread, crusts removed. Beat 3 egg yolks with 85 g sugar and 1 sachet vanilla sugar till frothy. Spoon yolk mixture into apple pulp with 75 g raisins and 35 g butter. Fold in 3 beaten egg whites. Spoon mixture into a greased bread pudding mould, put the lid on and cook approx 1¹/2 hours au bain-marie till set. Serve with a vanilla sauce.

> A bread pudding mould is needed for this special dessert. The mould looks like a fruit cake tin with a closely fitted lid and is made out of metal. They are sometimes to be found at flea markets. Well used tins have a scale rim around the outside because of the (hard) water.

VALAPPELTJES ONDER EEN DEEGJASJE

6 valappelen
boter
kaneel
suiker

VOOR HET DEEG:
60 g boter
1 dl water
90 g zelfrijzend bakmeel
2-3 eieren
zout

De appelen schillen, in partjes snijden en de klokhuizen verwijderen. De partjes appel in een ingevette ovenvaste schaal overdoen en er 1 dl water of appelsap opschenken. De appelen royaal met kaneel en suiker bestrooien. Voor het deegjasje de boter met het water in een steelpannetje aan de kook brengen. Zodra de boter is opgelost, het bakmeel er in een keer doorroeren. Het vuur temperen en de bloem gaar laten worden. De pan van het vuur nemen. Het deeg in een schaal overdoen en de eieren er een voor een door roeren tot een taai glanzende deeg ontstaat dat als een dik lint van de lepel valt. Het soezendeeg over de appelen verdelen. De schaal op het rooster midden in een voorverwarmde oven (200 °C) in ca. 30 minuten bakken.

DROP APPLES WITH A COAT OF DOUGH

6 drop apples
butter
cinnamon
sugar

FOR THE DOUGH:
60 g butter
1 dl water
90 g self raising flour
2-3 eggs
salt

Peel, core and quarter the apples. Place the apple quarts in a buttered ovenproof dish and pour over 1 dl water or apple juice. Sprinkle liberally with cinnamon and sugar. For the coat of dough heat butter and water in small saucepan. When the butter has melted stir in the flour all at once. Lower the heat and beat until the mixture is smooth and pulls away from the sides. Remove from the heat, let cool slightly and beat in the eggs one at the time to form a shiny and soft dough that falls from a spoon. Divide this choux pastry over the apples. Place the dish in the middle of a preheated oven (200 °C) and bake approx. 30 minutes till golden and done.

HOLLANDSE APPELTAART
SPRINGVORM 26 CM DOORSNEDE

VOOR HET DEEG:
275 g zelfrijzend bakmeel
100 g witte basterdsuiker
1/2 theel. zout
1 zakje vanillesuiker
mespunt kaneel
1 ei
150 g harde boter

VOOR DE VULLING:
1 ei
75 g suiker
1 volle eetl. custardpoeder
1 theel. kaneel
1 eetl. citroensap
2 eetl. rozijnen
750-1000 g appelen, bijv. Elstar
1/3 pot sinaasappelmarmelade of abrikozenjam

Alle ingrediënten voor het deeg, behalve de boter, in een foodprocessor overdoen. De boter in stukjes snijden en op de ingrediënten in de kom van de foodprocessor leggen. Het apparaat laten draaien tot de ingrediënten als een bal van de kom loslaten. Het deeg uit de kom nemen en met een koele hand doorkneden en in plasticfolie 30 minuten in de koelkast laten rusten. Het ei, de suiker, het custardpoeder, de kaneel, het citroensap door elkaar kloppen met de mixer of in de foodprocessor. De appelen schillen, de klokhuizen verwijderen en in vieren snijden. Elk appelpartje in blokjes snijden en met de rozijnen door het eimengsel scheppen.

De springvorm invetten en de oven voorverwarmen op 175 °C. Het deeg tussen plasticfolie uitrollen. De vorm met het deeg bekleden. De blokjes appel met het vocht over het deeg verdelen. De rest van het deeg uitrollen en hiervan dunne repen snijden. De repen deeg traliegewijs over de appel leggen.

De taart midden in de voorverwarmde oven in ca. 60 minuten bruin en gaar bakken.

De taart uit de oven nemen en in de vorm laten afkoelen. De sinaasappelmarmelade 2-3 minuten zonder deksel in de magnetron op de hoogste stand verwarmen. De appeltaart met de marmelade bestrijken. De rand van de vorm verwijderen zodra het gebak van de springvormrand loslaat.

DUTCH APPLE PIE
SPRINGFORM TIN OF 26 CM DIAMETER

FOR THE DOUGH:
275 g self raising flour
100 g soft white sugar
1/2 tsp. salt
1 sachet vanilla sugar
pinch cinnamon
1 egg
150 g hard butter

FOR THE FILLING:
1 egg
75 g sugar
1 heaped tbsp. custard powder
1 tsp. cinnamon
1 tbsp. lemon juice
2 tbsp. raisins
750-1000 g apples, e.g. Star Crimson
1/3 jar orange marmelade or abricot jam

Place all dough ingredients except the butter into a food processor. Cube the butter and place it on top of the ingredients in the food processor. Turn the machine on and knead ingredients to a ball. Wrap the dough in cling film and let it rest in the fridge for 30 minutes. For the filling mix egg, custard powder, cinnamon and lemon juice with mixer or food processor. Peel, core and quarter the apples and cut the apple quarters into cubes. Spoon the apple and raisins through the egg mixture. Grease the springform tin and preheat the oven to 175 °C.

Roll the dough to a round between cling film, press into the tin and reserve some dough for the topping. Fill the pie with the apple mixture and the liquid. Roll out the remaining dough to make a lattice. Bake the pie in the middle of the preheated oven for approx. 60 minutes till golden and done. Remove the pie from the oven and let cool in the tin. Heat the orange marmalade uncovered for 2-3 minutes on High power in the microwave oven. Brush the pie with the marmalade. Remove the springform when the dough starts to loosen.

Hetebliksem / "Hete bliksem"

HETEBLIKSEM

1 1/2 kg appelen (750 g zure en 750 zoete appelen)
1 1/2 kg aardappelen
300 g mager rookspek
zout

De aardappelen schillen, in stukken snijden en wassen. De aardappelen in een pan doen en er zoveel water opgieten dat ze net onderstaan. De appelen schillen, in vieren snijden, de klokhuizen verwijderen en de partjes appel over de aardappelen verdelen. Het rookspek op de appel leggen en alles met een deksel op de pan in ca. 30 minuten gaar koken. Het kookvocht afgieten en het spek uit de pan nemen. De aardappelen en appel eventueel met wat kookvocht door elkaar stampen. Het rookspek in blokjes snijden en door de stamppot scheppen.

> Hetebliksem is een traditionele, stevige Oudhollandse stamppot die ook wel *Donder en bliksem* of *Hemel en aarde* wordt genoemd. Deze stamppot werd vroeger gegeten met plakken gebakken bloedworst of rolpens.

Variaties:
HETEBLIKSEM MET STOOFPEREN
De appelen door stoofperen vervangen. Ga verder te werk zoals hierbovenbeschreven.
APPELEN MET AARDAPPELEN EN WITTE BONEN
Kook 50 g witte geweekte bonen ca. 1 uur. Doe de aardappelen en de appelen (zie recept hetebliksem) in een pan, voeg de gekookte witte bonen met 50 g reuzel toe en kook alles nog 30 minuten. Roer alles met een houten lepel door elkaar. Bij deze stamppot werd het spek weggelaten.

> In West Friesland zag een warme maaltijd er vroeger zo uit: Groentesoep met kluif. Als 2e gang kwamen er grauwe erwten met stroop en rozijnen op tafel en pudding met bessensap toe.

"HETE BLIKSEM"

1 1/2 kg apples (750 g tart and 750 g sweet ones)
1 1/2 kg potatoes
300 g cured bacon
salt

Peel, cut and wash the potatoes. Put in a pan just covered with water. Peel, quarter and core the apples and place on top of the potatoes. Place the bacon on top and cook approx. 30 minutes till done. Pour off the cooking liquid and remove the bacon from the pan. Make a hotchpotch of potatoes and apples with a little liquid if necessary. Cube the bacon and spoon into the potato-apple mix.

> "Hete bliksem" (hot flash of lightning) is a traditional Dutch hotchpotch also called *Donder en bliksem* (thunder and lightning) or *Hemel en aarde* (sky and earth). In the old days the hotchpotch was served with slices of fried black pudding or spiced mince meat in tripe.

Variations:
"HETE BLIKSEM" WITH COOKING PEARS
Substitute cooking pears for apples, follow the recipe.
APPLES, POTATOES AND BEANS
Cook 50 g soaked white beans for an hour. Place potatoes and apples (see recipe "Hete bliksem") in a saucepan, add the beans with 50 g lard and continue cooking for 30 minutes. Stir to a mash with a wooden spoon. This hotchpotch doesn't contain bacon.

> In the northern area of the Province of Noord-Holland called West Friesland, a meal used to start with soup containing a bone, followed by beans with treacle and raisins. As dessert pudding with currant sauce was served.

APPELBOLLEN

4 velletjes bladerdeeg
4 appelen
1 eetl. suiker
1 theel. kaneel
2 eetl. rozijnen
125 g amandelspijs
1 ei
abrikozenjam

Het bladerdeeg op het aanrecht ontdooien en uitrollen tot vierkante lapjes van 12 x 12 cm. De oven voorverwarmen op 200 °C. De appelen schillen, de klokhuizen met een appelboor verwijderen en elke appel midden op elk vierkantje deeg zetten. De appels vullen met een mengsel van suiker, kaneel en rozijnen en de bovenkant afdekken met een stukje amandelspijs. De randen van het deeg natmaken en het deeg om de appel vastdrukken. De deegappelen met de naad onder op een met bakpapier beklede bakplaat zetten, met losgeklopt ei bestrijken en ca. 25 minuten in de hete oven bakken. De appelbollen direct met abrikozenjam bestrijken.

"APPELBOLLEN"

4 frozen sheets of flaky pastry
4 apples
1 tbsp. sugar
1 tsp. cinnamon
2 tbsp. raisins
2 tbsp almond paste
1 egg
apricotjam

Defrost the dough and roll out to 12 x 12 cm squares on a floured surface. Preheat the oven to 200 °C. Peel and core the apples and put each in the centre of the dough. Fill the apple core with a mix of sugar, cinnamon and raisins and place a little piece of almond paste on the top. Fold the dough around the apples, moisten the sides with water to seal and turn the apple packages over. Place on a baking tray lined with waxed paper and brush with beaten egg. Bake in a hot oven 25 minutes and glaze with apricot jam.

LEVERBEULING

500 g varkenslever
1 varkensnier
200 g varkenshart
zout
300 g volkorenmeel
150 g boekweitmeel
250 g vet spek
3/4 eetl. versgemalen peper
1 theel. kruidnagelpoeder
(kunst)darm
boter

Het vlees schoonmaken, afspoelen en in ca. 1 liter water met zout (3/4 eetlepel) in ca. 30 minuten gaar koken. Het vlees uit het kookvocht nemen en de velletjes verwijderen. Het vlees in een vleesmolen fijnmalen en met de beide soorten meel vermengen. Het spek kleinsnijden en door het vlees mengen. Het mengsel op smaak brengen met peper en kruidnagelpoeder. In de darm aan een kant een knoop leggen en het vleesmengsel erin spuiten. Het uiteinde dichtknopen en de worst in ruim water met zout (1/2 eetlepel per liter) in ca. 30 minuten gaar koken. De worst laten schrikken in koud water en laten uitlekken. In de open lucht 1-2 dagen laten drogen. De worst vlak voor het serveren in plakken snijden en in hete boter aan weerskanten bakken.

"LEVERBEULING"

500 g pork's liver
1 pork's kidney
200 g pork's heart
salt
300 g wholemeal flour
150 g buckwheat flour
250 g streaky bacon
3/4 tbsp. freshly ground pepper
1 tsp. ground cloves
(artificial) casing
butter

Clean the offal, rinse it and cook in approx. 1 litre water and 3/4 tablespoon salt approx. 30 minutes till done. Remove from the water and disregard all fibrous tissues. Mince the meat and mix in both wholemeal and buckwheat flour. Cut up the bacon, mix it into the meat mixture and add pepper and ground cloves to taste. Tie a knot in the casing and spoon the meat mixture through a funnel into the casing. Tie a knot at the other end and boil the sausage covered with water and salt (1/2 tbsp. per litre water) approx. 30 minutes. Drop the sausage into cold water and drain it. Dry in the open air for 1-2 days. Just before serving, slice the sausage and fry the slices on both sides in hot butter.

BALKENBRIJ

1250 g vleesresten
1 1/2 liter bouillon
ca. 3/4 liter bloed
500 g boekweitmeel
zout, kruidnagelpoeder, tijm, peper, gemalen foelie of
rommelkruid
spekvet

Alle resten vlees in de bouillon opkoken en door de vleesmolen halen. Het gemalen vlees met het bloed aan de
kook brengen en al roerend het boekweitmeel toevoegen
tot een stijve massa ontstaat. Het mengsel op smaak brengen met de kruiden. De balkenbrij flink laten doorkoken
tot het ploft en daarna overdoen in kommen of diepe borden. In een koele ruimte 1-2 dagen laten opstijven. De balkenbrij in plakken snijden en in spekvet bakken.
Het werd vroeger opgediend met Hete bliksem of rode
kool.

Balkenbrij is een typische slachttijdgerecht,
bekend in Gelderland, Noord Brabant en Limburg
en de Kempen. Er zijn diverse bereidingswijzen.
Het wordt als laatste gemaakt van de resten (varkenskop, kaantjes, stukgekookte worsten enz), die
bij het slachten overblijven. Maar balkenbrij is
kort houdbaar, omdat het o.a. gemaakt wordt van
diverse organen, varkensbloed en boekweitmeel.
Volgens de overlevering is de naam ontstaan uit
brij die toebereid werd uit balg (ingewand). In de
Kempen kent men balkenbrij onder de naam kroepoet of karboet.

ROMMELKRUID

Rommelkruid werd met name gebruikt bij de
fabricage van koek en bij de bereiding van balkenbrij. Het is een gemengde kruiderij in poedervorm,
waaraan suiker en zoethout zijn toegevoegd.

"BALKENBRIJ"

1250 g leftover meat from slaughter
1 1/2 litre stock
approx. 3/4 litre blood
500 g buckwheat flour
salt, ground cloves, thyme, pepper, mace
or "rommelkruid"
bacon fat

Heat the leftover meat in stock and mince it. Bring the
minced meat in the blood to the boil and stir in the buckwheat flour to form a thick porridge. Add the herbs and
spices to taste. Briskly boil the "balkenbrij" till it plops
and spoon it into bowls or soup plates. Let set in a cool
space for 1-2 days. Slice the "balkenbrij" and fry the
slices in bacon fat.
In the past "balkenbrij" was served with "Hete bliksem" or red cabbage.

"Balkenbrij" is a typical slaughtering product
from the Provinces of Gelderland, Noordbrabant
and Limburg and the county of Kempen. The
methods of preparation differ. It is made at the end
of the slaughter from leftovers such as pig's head,
crackling, broken sausages etc. It doesn't keep long
since it is made with offal, blood and buckwheat
flour. The name comes from the "brij" (mush) that
was prepared in the "balg" (intestine). In the Kempen it is called "kroepoet" or "karboet".

"ROMMELKRUID" (JUMBLE HERBS)

"Rommelkruid" was used mainly in the fabrica-
tion of Dutch gingerbread and "balkenbrij". It is a
powdered mix of herbs with sugar and liquorice
added.

ZURE ZULT

1/2 varkenskop (zonder kinnebak)
4 varkenspootjes
1 ui
1 eetl. zout
1 1/2 dl azijn
1 theel. peper
1/2 theel. geraspte nootmuskaat
4 augurkjes
1 theel. gemalen foelie
reuzel

De varkenskop en pootjes goed schoonborstelen en met zo veel water aan de kook brengen dat het vlees net onderstaat. De ui pellen en fijnsnipperen en bij het vlees doen. Met een deksel op de pan laten koken tot het vlees van het bot loslaat. Het vlees uit de pan nemen, van het bot snijden en fijnsnijden of malen. Het vlees vermengen met de azijn, de peper, de nootmuskaat, de kleingesneden augurkjes en de foelie. Er zoveel van het kookvocht doorroeren tot een smeuïg mengsel ontstaat. Alles nog 15 minuten zachtjes doorkoken en in met koud water of azijn omgespoelde kommen overdoen. Laten afkoelen en laten opstijven. Op de zure zult een laagje gesmolten reuzel of azijn gieten, waardoor het vlees 5 weken houdbaar is.

> Zure zult kent men ook onder de naam *Hoofdkaas*.

Variatie:
HOOFDKAAS IN HET ZUUR
De hoofdkaas in stukken snijden en in een glazen inmaakpot overdoen. Er een mengsel van 3/4 deel inmaakazijn en 1/4 deel water met inmaakkruiden, zoals laurierblaadjes, chilipepertje, jeneverbessen, opschenken tot het vlees geheel onderstaat. Het vlees blijft zo maanden goed.

ROLPENS
Wordt bereid van gemalen varkensvlees, rundvlees en spek. Het vlees wordt met kruiden in pens gaar gemaakt en op dezelfde manier geconserveerd als hoofdkaas in 't zuur. In vele Belgische beenhouwerijen vind je ook nu nog vaak een pot met rolpens of hoofdkaas op de toonbank staan.

"ZURE ZULT"

1/2 a pig's head (jaws removed)
4 pig's feet
1 onion
1 tbsp. salt
1 1/2 dl vinegar
1 tsp. pepper
1/2 tsp. grated nutmeg
4 gherkins
1 tsp. mace
lard

Carefully clean the pig's head and feet and put them in a pan covered with water. Peel and chop the onion and add to the meat. Put a lid on the pan and heat till the meat comes from the bone. Take head and feet from the pot, remove the meat from the bones and mince it. Mix with vinegar, pepper, nutmeg, chopped gherkins and mace. Mix in enough cooking liquid to form a smooth paste. Heat 15 minutes on low heat and spoon into bowls rinsed with cold water or vinegar. Let cool and set. By pouring a layer of melted lard or vinegar on the head cheese it can be kept for 5 weeks.

> "Zure zult" is also known as *Hoofdkaas* (Head cheese).

Variation:
PICKLED HEAD CHEESE
Cube the head cheese and put the cubes into a canning jar. Pour on to cover a mixture of 1/2 part preserving vinegar and 1/4 part water with pickling herbs (bay leaf, chilli pepper, juniper berries) to taste. This way the meat can be kept for months.

"ROLPENS" (SPICED MINCE MEAT IN TRIPE)
Made out of minced pork, beef and bacon. The meat, together with spices, is cooked in tripe and prepared like pickled head cheese. Belgian butchers often still have a jar of "Rolpens" or "Hoofdkaas" standing on the counter.

Zure zult / "Zure zult"

STOOFPEREN

1 kg stoofperen
1 dl zwarte bessensap
ca. 50 g suiker
1 kaneelstokje
citroen- of sinaasappelschilletje
maïzena

De peren schillen, maar de steeltjes eraan laten. Het bessensap met de suiker, het kaneelstokje, citroen- of sinaasappelschilletje en 3 dl water in een pan verwarmen tot de suiker is opgelost. De peren erin leggen en eventueel nog wat water toevoegen als de peren niet onderstaan. De stoofpeertjes in ca. 1¹/2 -2 uur rood koken.

Variaties:
GLÜHWEINPEERTJES
In plaats van bessensap glühwein nemen. De peren in ca. 5 dl glühwein in ca. 1¹/2-2 uur rood koken.
PERENTERRINE
De peertjes in glühwein koken volgens het recept hierboven. Het kookvocht van de peren in een litermaat gieten. Per dl kookvocht 2 g gelatine in ruim koud water weken. De gelatine in het kookvocht oplossen en de peertjes met kookvocht in een cakevorm van ca. 1 liter inhoud schenken. De perenterrine in de koelkast laten opstijven. De perenterrine in plakken snijden en met vanillesaus en een bolletje vanille-ijs serveren.

AARDAPPELSPEKKOEK
ACHTERHOEK

200 g ontbijtspek, in plakjes
750 g gare aardappelen
45 g bloem
1 ei
1¹/2 dl melk
1 ui
1 eetl. fijngehakte peterselie
peper en zout

In een koekenpan de plakjes ontbijtspek naast elkaar langzaam uitbakken. De aardappelen in plakken snijden en de plakken aardappel op het zachtjes uitgebakken spek in de pan leggen. De bloem, het ei en de melk tot een glad beslag roeren. De ui pellen en fijnsnipperen. De peterselie met de ui en wat zout en peper door het beslag scheppen. Het beslag over de aardappelen gieten en het op laag vuur bakken tot het lichtbruin is. De aardappelkoek met behulp van een deksel keren en de andere kant bruin bakken. De aardappelspekkoek in punten snijden en met een groene sla serveren.

STEWED PEARS

1 kg cooking pears
1 dl black currant juice
approx. 50 g sugar
1 cinnamon stick
lemon or orange peel
cornflour

Peel the pears but leave the stalks on. In a saucepan heat the currant juice with the sugar, cinnamon stick, peel and 3 dl water till the sugar has dissolved. Place the pears in the liquid and if necessary add water to cover. Simmer the pears approx. 1¹/2 – 2 hours till red.

Variations:
GLÜHWEIN PEARS
Use approx. 5 dl glühwein in stead of currant juice. Follow the recipe above.
PEAR TERRINE
Cook pears in glühwein as described above. Pour the juice into a measuring jar. Soften for every decilitre liquid 2 g gelatine in cold water to cover. Melt the gelatine in the cooking liquid and place pears and liquid in a oblong cake tin or terrine dish of 1 litre. Let set in the fridge. Slice the pear terrine and serve with vanilla sauce and a scoop of ice cream.

POTATO-BACON TART
ACHTERHOEK AREA

200 g sliced bacon
750 g boiled potatoes
45 g flour
1 egg
1¹/2 dl milk
1 onion
1 tbsp. chopped parsley
pepper and salt

Slowly fry the bacon slices till crisp next to each other in a frying pan. Slice the potatoes and place the slices on top of the bacon in the frying pan. Mix flour, egg and milk into a smooth batter. Peel and chop the onion and spoon into the batter with parsley, pepper and salt to taste. Pour the batter over the potato slices and gently heat till slightly browned. Turn the potato tart with the help of a lid and let the other side brown. Cut the potato-bacon tart in wedges and serve with a green salad.

Variaties:

RÖSTIKOEKJES MET BAMI- OF NASIKRUIDEN

In een kom 1 zak rösti vermengen met 1 ei en 1 zakje gewelde kruidenmix voor bami of nasi. Van het mengsel 6-8 koekjes vormen. In een grote koekenpan 25 g boter verhitten en hierin de röstikoekjes in 8-10 minuten goudbruin bakken.

RODE KOOL MET HOLLANDSE KAASDOOP

1 kleine rode kool
zout
1 kruidnagel
2 moesappelen
suiker
azijn

VOOR DE KAASDOOP:
200 g extra belegen kaasresten
2 dl melk
1 eetl. maïzena
peper, zout, nootmuskaat

De buitenste bladeren van de kool verwijderen. De kool in repen snijden en in een bodem water met zout en kruidnagel in ca. 20 minuten gaar koken.
Intussen de appelen schillen, in vieren snijden en de klokhuizen verwijderen. Het vruchtvlees in stukjes snijden. De stukjes appel na 10 minuten aan de rode kool toevoegen.
De rode kool op smaak brengen met 1 theelepel azijn en suiker. Vlak voor het serveren de kruidnagel verwijderen. De melk en de kleingesneden kaas al roerend aan de kook brengen tot de kaas is gesmolten. De maïzena met 2 eetlepels water gladroeren en hiermee het kaasmengsel binden. De kaasdoop op smaak brengen met peper, zout en nootmuskaat.

Tip
De Hollandse kaasdoop is de voorloper van de Zwitserse kaasfondue. Kaasdoop werd in de jaren vijftig vooral op vrijdag in katholieke gezinnen bereid als vervanging voor vlees. De maïzena werd bij ons vaak glad geroerd met brandewijn.

Variation:

RÖSTI COOKIES WITH BAMI- OR NASI-HERBS

Into a bowl coarsly grate 750 g peeled potatoes. Mix in 1 egg and 1 package of the special dried and soaked herb mix for nasi or bami. Shape into 6-8 cookies. Heat 25 g butter in a large frying pan and fry the rösti cookies 15-20 minutes till golden and done.

RED CABBAGE AND DUTCH CHEESE DIP

1 small red cabbage
salt
1 clove
2 cooking apples
sugar
vinegar

FOR THE CHEESE DIP:
200 g old Dutch cheese
2 dl milk
1 tbsp. cornflour
pepper, salt, grated nutmeg

Remove the outer leaves from the cabbage. Cut the cabbage into strips and cook these in a little water with salt and clove till tender in approx. 20 minutes. In the meantime peel, core and cube the apples. Add the apple to the cabbage after 10 minutes of cooking time. Season the cabbage with 1 teaspoon of vinegar and sugar. Remove the clove just before serving.
Heat the milk with the crumbled cheese, stir constantly till the cheese has melted. Mix the cornflour with 2 tablespoons of water and thicken the cheese sauce with it. Add pepper, salt and grated nutmeg to taste.

Tip
The Dutch cheese dip preceeded the Swiss cheese fondue. In Holland in the fifties cheese dip was served in Catholic families on Friday instead of meat. The cornflour was often mixed with Dutch genever.

Stoofperen / Stewed pears (p. 90)

GEBAKKEN SCHOL
2 PERSONEN

2 bakschollen
zout
bloem
1-2 dl olie
partjes citroen
takjes peterselie

De schollen schoonmaken, van binnen en van buiten goed wassen en met keukenpapier droogdeppen. De vis aan beide zijden goed met zout inwrijven en 30 minuten in een vergiet leggen, zodat het zout er goed kan intrekken. De schollen op de donkere kant 2-3 keer diagonaal inkerven en vervolgens door de bloem wentelen. De olie verhitten en de schol eerst aan de lichte velkant en daarna op de donkere zijde bakken. De vis met partjes citroen en een takje peterselie serveren.

FRIED PLAICE
2 PERSONS

2 plaice for frying
salt
flour
1-2 dl oil
lemon wedges
sprigs parsley

Clean the plaice, wash inside and outside and dry with paper towels. Rub salt on both sides and leave the fish 30 minutes in a colander to absorb the salt. Score the plaice on the black side diagonally 2-3 times and dust with flour. Heat the oil and fry plaice white side first. Serve with lemon wedges and sprigs of parsley.

STOKVIS MET MOSTERDSAUS

500 g gedroogde stokvis
zout
3 grote uien

VOOR DE SAUS:
50 g boter
25 g bloem
1 1/2 dl melk
mosterd

De stokvis ten minste 24 uur in ruim koud water weken. Het water regelmatig verversen. De stokvis zo goed mogelijk van graten en vellen ontdoen. De stokvis in repen snijden, deze oprollen en elk rolletje met een stukje keukengaren vastbinden. De stokvisrolletjes in water met zout (1/2 eetlepel per liter water) ca. 45 minuten zachtjes koken. Houd het water tegen de kook, anders wordt de vis taai. De uien pellen, halveren en in ringen snijden. De helft van de boter smelten, de ui toevoegen en bakken tot ze zacht is. De resterende boter in een tweede pan smelten, de bloem erdoor roeren en kort zachtjes laten bakken. Ca. 1 1/2 dl van het viskookvocht afnemen en het geleidelijk al roerend aan het bloemmengsel toevoegen. De melk erbij gieten en de saus met de mosterd op smaak brengen. De vis serveren met de uien en mosterdsaus.
Vroeger werd stokvis opgediend met gekookte aardappelen, gort en in sommige streken met rode kool.

STOCKFISH WITH MUSTARD SAUCE

500 g dried cod
salt
3 large onions

FOR THE SAUCE:
25 g butter
50 g flour
1 1/2 dl milk
mustard

Soak the salted fish at least 24 hours in cold water to cover. Refresh the water often. Remove skin and bones from the fish as well as possible. Cut the fish into strips, roll these and tie each roll with kitchen thread. Slowly heat the fish rolls in water with salt (1/2 tbsp. per litre water) approx 45 minutes till soft. Don't let the water boil, to prevent the fish from getting tough.
Peel, half and slice the onions. Melt half the butter, add the onions and fry till soft. In another saucepan melt the remaining butter, stir in the flour and heat shortly. Take approx. 1 1/2 dl of the cooking liquid and gradually stir it into the butter and flour mixture. Add the milk and season the sauce with mustard. Serve the fish with the onions and the mustard sauce separately.
In the old days stockfish was served with boiled potatoes and barley and in some parts of the country with red cabbage.

Stokvis, zoutevis, bacalao (Spanje), bacalhau (Portugal), stoccafisso (Italië), bakkeljauw (Suriname), morue (Frankrijk) zijn allemaal gedroogde kabeljauw of soortgelijke vis. Maar in het spraakgebruik kunnen ze bijna allemaal twee verschillende dingen betekenen: gezouten of niet-gezouten gedroogde vis. Er zijn ook verschillen in drogingsgraad. Stokvis is verder ingedroogd dan bacalao en moet daarom veel langer worden geweekt (24-48 uur) dan bacalao (12-24 uur). Bacalao is bovendien gezouten en daarom moet het water wat vaker worden ververst dan bij stokvis. Stokvis is tegenwoordig moeilijk verkrijgbaar. Bakkeljauw is te koop in Surinaamse winkels.

Stockfish, salted fish, bacalao (Spain), bacalhau (Portugal), stoccafisso (Italy), bakkeljauw (Suriname), morue (France) are all dried cod or similar fish. However in common language both salted and non-salted fish go by the same name. Differences occur in drying time. Stockfish has been dried much longer than bacalao and therefor needs to be soaked much longer (24-48 hours to the 12-24 hours for bacalao). Since bacalao is salted the water needs to be refreshed more often than with soaking stockfish. It isn't always easy to purchase stockfish. In Holland bakkeljauw is sold in Suriname speciality shops.

WITLOF MET HAM EN KAASSAUS

8 struikjes witlof
zout
boter om in te vetten
8 plakjes gekookte ham

VOOR DE SAUS:
25 g boter
25 g bloem
3 dl melk
100 g geraspte kaas

CHICORY (BELGIAN ENDIVE) WITH HAM AND CHEESE SAUCE

8 heads of chicory
salt
butter for greasing
8 slices of cooked ham

FOR THE SAUCE:
25 g butter
25 g flour
3 dl milk
100 g grated cheese

Een stukje van de onderkant van de struikjes witlof snijden, de bittere kern er met een mesje kegelvormig uit snijden en de struikjes wassen. In een pan een bodempje water aan de kook brengen en de struikjes hierin ca. 20 minuten met een deksel op de pan beetgaar koken. De grill voorverwarmen, een lage ovenvaste schaal invetten en de kaassaus maken. Voor de saus de boter smelten en de bloem erdoor roeren. Geleidelijk al roerend de melk toevoegen tot een gebonden saus ontstaat. De helft van de kaas erdoor roeren. De witlof in een vergiet laten uitlekken. Elk struikje met een plakje ham omwikkelen. De struikjes kop aan staart in de schaal leggen, de saus erover verdelen en de bovenkant met de resterende geraspte kaas bestrooien. De schaal ca. 15 cm onder de hete grill zetten tot de bovenkant goudbruin is.

With a sharp knife cut a piece from the bottom of the heads of chicory, remove the bitter core as a cone and wash the heads. In a saucepan bring a little water to the boil and cook the chicory with a lid on approx. 20 minutes till soft but crisp. Preheat the grill and grease a shallow ovenproof dish. Make a cheese sauce by melting the butter and mixing in the flour. Gradually add the milk till a thickened sauce is formed. Mix in half of the grated cheese. Drain the chicory in a colander. Roll each head into a slice of ham. Place chicory 'head to tail' in the dish, spoon over the sauce and sprinkle with the remaining grated cheese. Place the dish approx. 15 minutes under the hot grill till golden brown.

Aardappelspekkoek / Potato-bacon tart (p. 90)

Variaties:

GEGRATINEERDE PREI

Vervang de witlof door prei. Snijd de prei in stukken van ca. 12 cm en ga te werk zoals op p. 95 beschreven.

WITLOFSALADE

Snijd 2 struikjes witlof in ragfijne repen. Doe de reepjes in een slabak en meng er een in blokjes gesneden appel en de partjes van 2 mandarijntjes door. Roer een sausje van 2 eetl. mayonaise, 1 eetl. tomatenketchup, zout en peper en evt. enkele druppels citroensap. Giet de saus over de salade en schep de salade door. Garneer met 1 eetl. fijngehakte noten.

Variations:

LEEKS GRATINEE

Use leeks instead of chicory. Cut leek in 12 cm pieces and follow the recipe on p. 95.

CHICORY SALAD

Cut 2 heads of chicory in very thin strips. Place in a salad bowl and mix with one finely cubed apple and sections of 2 tangerines. Make a sauce by mixing 2 tbsp. mayonnaise with 1 tbsp. tomato ketchup, salt, pepper and a few drops lemon juice (optional). Mix the sauce into the salad and garnish with 1 tbsp. chopped nuts.

WORSTENBROODJES
10 STUKS

1 pak broodmix
500 g gehakt
2 sneetjes wittebrood, in melk geweekt
1 ei
zout, peper, nootmuskaat

Het deeg volgens de aanwijzingen op de verpakking bereiden. Het gehakt aanmaken met het uitgeknepen brood, het ei en zout, peper en nootmuskaat naar smaak. Het gehakt in 10 gelijke porties verdelen en elke portie tot een rolletje uitrollen. Het deeg tot een rechthoekige lap uitdrukken of uitrollen. Uit het deeg vierkantjes van 12 x 12 cm snijden. Elk deeglapje dubbelklappen en tegen de naad het gehaktrolletje leggen. Het deeg goed om het gehaktrolletje drukken en op een met bakpapier beklede bakplaat leggen. De worstenbroodjes op een warme plaats laten rijzen en vervolgens in een voorverwarmde oven (200 ° C) in ca. 25 minuten bruin en gaar bakken.

"WORSTENBROODJES"
MAKES 10

1 package of breadmix
500 g minced meat
2 slices of white bread, soaked in milk
1 egg
salt, pepper, grated nutmeg

Prepare the dough according to the instructions. Mix the minced meat with the squeezed bread, egg, salt, pepper and nutmeg to taste. Divide into 10 equal portions and shape into rolls. Press or roll the dough into a rectangular and cut squares of 12x12 cm. Fold every piece of dough and place a meat roll against the fold. Fold the dough carefully around the meat and place the "broodjes" on a baking tray covered with waxed paper. Let rise in a warm place and bake approx. 25 minutes in a preheated oven (200 °C) till brown and done.

De maandag na Driekoningen (6 januari) worden onder de grote rivieren vaak worstenbroodjes gegeten.

On the Monday following the Twelfth Day (January 6th) "worstenbroodjes" often are served in the southern Provinces (also called the Provinces below the big rivers because of the rivers that divide the country).

GEKOOKTE MOSSELEN

2 zakken mosselen (à 2 kg)
2 uien
stukje prei
stukje winterwortel
25 g boter
scheutje droge witte wijn
enkele takjes selderij
2 laurierblaadjes
takje tijm
gekneusde peperkorrels

COOKED MUSSELS

2 bags of mussels (2 kg each)
2 onions
piece of leek
piece of carrot
25 g butter
dash of dry white wine
few celery leaves
2 bay leaves
sprig of thyme
crushed peppercorns

De mosselen schoonmaken en wassen. De uien pellen en in ringen snijden. De prei en de wortel schoonmaken en in grove stukken snijden. De boter in een pan (die twee keer zo groot is als het volume van de mosselen) smelten, de ui hierin glazig fruiten en de wijn erop schenken. De mosselen erover verdelen en de takjes selderij, laurierblaadjes, tijm en gekneusde peperkorrels toevoegen. De mosselen koken tot alle schelpen open zijn. De pan daarbij regelmatig schudden. De mosselen in de pan op tafel zetten en serveren met diverse sausjes en stokbrood. Vergeet niet een kom voor de lege schelpen en een vingerkommetje met water en partjes citroen op tafel te zetten.

Clean and wash the mussels. Peel and slice the onions. Clean leek and carrot and cut both in pieces. Melt the butter in a pan twice as large as the volume of the mussels, sautee the onion and pour on the wine. Place the mussels on top with the celery leaves, bay leaves, thyme and crushed peppercorns. Heat till all shells have opened. Shake the pan regularly. Place the mussels in the pan on the table and serve with several sauces and French bread. Don't forget a bowl for the empty shells and finger bowls with water and a slice of lemon.

Variaties:
MOSSELSOEP

2 kg mosselen (1 zak) koken zoals hierboven beschreven. De mosselen van schelp ontdoen en de helft in 25 g hete gele boter met 1 grof gesneden ui, prei en wortel en teentje knoflook bakken. Er 2 eetl. tomatenpuree doorroeren en alles nog enkele minuten zachtjes bakken. Er 1 liter visfond (pot) en 2 dl witte wijn opschenken en alles met een deksel op de pan 25 minuten zachtjes koken. De soep in een foodprocessor pureren, in een schone pan schenken en op smaak brengen met zout en versgemalen peper. De achtergehouden mosselen terug in de soep doen en de soep in borden schenken. De soep met gebakken broodcroutons en dille garneren.

KNOFLOOKCROUTONS

2 Sneetjes brood van korstjes ontdoen en in dobbelstenen snijden. In een koekenpan 5 eetlepels olijfolie met 1 teentje uitgeperste knoflook verhitten en de dobbelsteentjes brood snel bruinbakken. De croutons op keukenpapier laten uitlekken.

ZEEUWSE MOSSELHACHEE

De gekookte mosselen (zonder schelp) in wat boter opbakken. 1 In dunne ringen gesneden prei en 1 teentje uitgeperste knoflook toevoegen en de groenten kort mee bakken. Vervolgens 1 pot tomatensaus met basilicum erdoor roeren. De hachee op smaak brengen met zout en versgemalen peper.

Variations:
MUSSEL SOUP

Cook 2 kg of mussels as described above. Remove the shells and fry half of the mussels in 25 g yellow butter with a coarsely cut up onion, leek, carrot and clove of garlic. Mix in 2 tbsp. tomato puree and gently heat a few minutes. Pour on 1 litre fish fond (jar) and 2 dl white wine and simmer with a lid on 25 minutes. Puree the soup in a food processor, pour into a clean pan and season with salt and freshly ground pepper. Add the remaining mussels and spoon the soup into soup plates. Garnish with garlic croutons and dill.

GARLICCROUTONS

Remove the crust of 2 slices of white bread. Cube the bread. In a frying pan heat 5 tablespoons of olive oil with 1 crushed clove of garlic and fry the breadcubes quickly till brown on all sides. Drain on paper towels.

"ZEEUWSE MOSSELHACHEE"

Fry mussels without their shells in butter, add 1 sliced onion and 1 crushed clove of garlic and fry shortly. Add 1 jar of tomato sauce with basil and season the "hachee" with salt and pepper.

MOSSELEN

Al in de vijftiende eeuw werd ontdekt dat mosselen die in grote hoeveelheden waren opgevist, dicht bij huis weer over boord konden worden gegooid om te bewaren. Sinds 1825 zijn er maatregels genomen om de Zeeuwse wateren tegen overbevissing van mosselen te beschermen. Dat was het begin van de gestructureerde mosselvisserij. Toen zijn er ook al regels opgesteld voor de vismethode, de periode van mosselvangst en de grootte van de aangevoerde mosselen. De percelen werden door loting aan vissers toegewezen tot de overheid in 1870 overging tot het verpachten van de kweekgronden.

MUSSELS

As early as the 15th century it was discovered by the fishing fleet mussels could be kept fresh by throwing them overboard upon arrival home. In 1825 measures were taken in the Province of Zeeland to prevent their waters from the overfishing of mussels. That year counts as the start of the structured mussel industry. Rules were laid down for the method and period of fishing and for the seize of mussels to be fished. Sections were assigned by lot to the fishermen up till 1870 when government started to lease out the breeding grounds.

Witlof met ham en kaas / Chicory with ham and cheesesauce (p. 95)

Mosselen komen voor in twee gebieden in Nederland: de Oosterschelde en de Waddenzee. Omdat deze gebieden getijden kennen, vormen het ideale kweekplaatsen voor mosselen.

De mossel, de bekendste Zeeuwse lekkernij, wordt niet zonder trots Zeelands roem genoemd. De Zeeuwse alikruiken zijn kleine zeeslakken, in de volksmond ook wel kreukels genoemd, zijn iets minder bekend. Ze worden met de hand geplukt en zitten op wieren en schorren tussen de hoog- en laag waterlijn. Ze worden met Pasen met paasbrood gegeten of bij de boterham.

DE R IN DE MAAND

Dat je mosselen alleen moet eten wanneer de R in de maand, berust op een misverstand. Mosselen zijn 9 maanden in het jaar te koop, maar zijn het smakelijkst in de maanden met een R. Het mosselseizoen begint in juli en eindigt begin april.

Mussels are found in two area's in Holland: the Oosterschelde and the Waddenzee. Since both know tides, they form ideal breeding grounds for mussles.

Mussels are the speciality of the Province of Zeeland and are proudly called Zeeland's glory. Also from Zeeland are winkles called "kreukels" in popular speech. They are harvested by hand and are to be found on alga and salt marshes at the watermark of low and high tide. At Easter they are eaten with the special Easter bread with currants and raisins but also with plain bread.

R IN THE MONTH

It used to be said mussels could only be eaten when the R was in the month. This isn't true: mussels are for sale 9 months of the year. However they taste best in the months with an R in it. The mussels season runs from July to the beginning of April.

GEBAKKEN MOSSELEN

50 g rauwe of gekookte mosselen
bloem
25 g boter
1 eetl. fijngehakte peterselie
partjes citroen

De mosselen droogdeppen en door de bloem wentelen. De boter verhitten en de mosselen hierin goudbruin bakken. De gebakken mosselen over ragoutschelpen (5 stuks per schelp) verdelen, er wat bruine boter opgieten en met wat peterselie bestrooien. Garneren met partjes citroen. Serveren met toost.

FRIED MUSSELS

50 g raw or cooked mussels
flour
25 g butter
1 tbsp. chopped parsley
lemon wedges

Dry the mussels and dip them in flour. Heat the butter and fry the mussels till golden brown. Divide the mussels over ragout shell (use 5 mussels for every shell), pour on some of the browned butter and sprinkle with parsley. Garnish with lemon wedges and serve with toast.

BOTERKOEK

375 g bloem
300 g witte basterdsuiker
2 zakjes vanillesuiker
mespunt zout
300 g boter
1 klein ei

De bloem met de basterdsuiker zeven en vermengen met de vanillesuiker en het zout. De boter in de bloem kleinsnijden. Het ei loskloppen, de helft voor garnering achterhouden, de rest door het bloemmengsel scheppen en van de ingrediënten een soepel deeg kneden. Het deeg in een boterkoekvorm overdoen en de bovenkant gladstrijken. Met een mes of vork een ruitjespatroon aanbrengen en het deeg met het resterende ei bestrijken. De boterkoek in ca. 20 minuten in een hete oven (200 °C) goudbruin bakken.

BUTTER CAKE

375 g flour
300 g soft white sugar
2 sachets of vanilla sugar
pinch salt
300 g butter
1 small egg

Sift the flour with the sugar and mix in vanilla sugar and salt. Cut the butter into the flour. Beat the egg, keep half of it for garnish and add the other half to the flour and butter mixture. Knead a soft dough. Fill a special butter cake tin with the dough and flatten the top. Using a knife decorate the top with diamond squares and brush with the remaining egg. Bake at 200 °C approx. 20 minutes till golden brown.

Variaties:

CITROENBOTERKOEK

Het rasp van $1/2$ citroen door het deeg mengen.

GEMBERBOTERKOEK

Voor gemberboterkoek 8-10 kleingesneden bolletjes gember en ca. 3 eetl. gembersiroop door het deeg kneden. In dit geval 250 g boter nemen.

Leidse hutspot

Nog elk jaar wordt in Leiden op 3 oktober Leids ontzet van de Spanjaarden in 1574 gevierd. Op deze dag wordt nog altijd haring en wittebrood onder de bevolking uitgedeeld.

De originele hutspot stamt ook uit deze tijd en bestond uit vlees, wortelen, uien en pastinaken. Aardappelen kenden wij in die tijd nog niet. Hutspot is waarschijnlijk een variatie van een bekende Spaanse stoofpot die Olla Podrida heette, waarin vlees, groenten en kikkererwten zaten. De Nederlanders vervingen die kikkererwten door witte bonen.

Variatie:

HUTSPOT MET KLAPSTUK

In een pan 400 g klapstuk met 3 dl water en 1 theel. zout aan de kook brengen. Het vlees met een deksel op de pan 2 uur zachtjes koken. Het vlees uit de pan nemen en 1 kg in stukken gesneden aardappelen, 750 g winterwortel in plakjes en 4 kleingesneden uien aan het kookvocht toevoegen. Het vlees er boven op leggen en alles nog 30 minuten zachtjes koken. Het vlees uit de pan nemen en in dikke plakken snijden. De groenten afgieten en het kookvocht opvangen. De groenten met en stamper fijnstampen en evt. met wat kookvocht verdunnen. De hutspot met zout op smaak brengen.

GEHAKTBALLEN

2 sneetjes oud wittebrood
1 dl melk
500 g gehakt, half om half
zout, peper, nootmuskaat
paneermeel
50 g boter

De korstjes van het brood snijden en het brood in de melk weken. Het gehakt, het uitgeknepen brood, zout, peper en nootmuskaat door elkaar kneden en het gehakt in 8 gelijke porties verdelen. Van elke portie een mooie bal vormen en de ballen door het paneermeel wentelen. De boter in een koekenpan verhitten. De ballen rondom bruin bakken. Het vuur temperen en de ballen nog ca. 10 minuten zachtjes nabakken. Serveren met gekookte aardappelen en bloemkool.

Variations:

LEMON BUTTER CAKE

Mix the dough with the grated rind of $1/2$ lemon.

GINGER BUTTER CAKE

Mix the dough with 8-10 diced preserved gingerballs and approx. 3 tbsp. gingersyrup. Use 250 g butter instead of 300 g.

"Leidse hutspot"

Every year on October 3rd "the relief of Leiden" is celebrated: relief from the Spaniards in 1574. As happened then the inhabitants of Leiden even now still are given herring and white bread.

The Leiden hotchpotch also originates from that era and the original recipe called for meat, carrots, onions and parsnips since potatoes weren't known. "Hutspot" probably is a variation of a common Spanish stew with meat and vegetables called "Olla Podrida" which also included chickpeas. The Dutch replaced these with white beans.

Variation:

"HUTSPOT MET KLAPSTUK"

Bring to the boil 400 g rib of beef with 3 dl water and 1 tsp. salt. Put a lid on the pan and simmer the beef 2 hours. Remove from the pan and add to the cooking liquid 1 kg cut up potatoes, 750 g sliced carrots and 4 finely chopped onions. Place the meat on top and cook 30 minutes on low heat. Remove the meat and slice it thickly. Pour off the cooking liquid and reserve it. Mash the vegetables and add a little cooking liquid if necessary. Season with salt.

MEATBALLS

2 slices of day old white bread
1 dl milk
500 g minced meat, half beef, half pork
salt, pepper, grated nutmeg
breadcrumbs
50 g butter

Remove the crusts from the bread and soak the bread in the milk. Knead minced meat with squeezed bread, salt, pepper and nutmeg and divide into 8 equal portions. Form into smooth balls and roll these in breadcrumbs. Heat the butter in a frying pan. Fry meatballs brown on all sides. Lower the heat and heat 10 minutes more. Serve with boiled potatoes and cauliflower.

Boterkoek / Butter cake (p. 102)

Variatie:
VOGELNESTJES OF VERSCHOLEN EIEREN
Om 4 afgekoelde hardgekookte eieren een dun laagje aangemaakt gehakt kneden. Reken voor 4 eieren ca. 100g gehakt. De verscholen eieren eerst door losgeklopt ei en daarna door paneermeel wentelen. De verscholen eieren in heet frituurvet lichtbruin bakken en opdienen op een bedje van sterkers of sla.

Variation:
BIRD'S NESTS, HIDDEN EGGS OR SCOTCH EGGS
Knead a thin layer of prepared minced meat around 4 hard-boiled eggs. Use approx. 100 g minced meat for 4 eggs. Roll the meatballs first in beaten egg and then in breadcrumbs. Deepfry the bird's nests till golden brown and serve on a layer of garden cress or lettuce.

UIERBOORD
Uierboord was in de jaren vijftig een traktatie in Rotterdam. Nog steeds is het bij een enkele slagers in Rotterdam zowel rauw als toebereid te koop. De in stukken gesneden uiers moeten ten minste 5-6 uur pocheren en daarna zonder toevoeging van vet nog even in de oven of in een koekenpan worden gebraden. Voor dit gerecht werden vroeger de uiers van vaarzen gebruikt. Helaas worden die bijna nergens meer geslacht en worden tegenwoordig uitsluitend de uiers van oude melkkoeien gebruikt, die wat minder lekker van smaak zijn.
Uierboord wordt in plakjes gesneden op brood gegeten of in dikke plakken bij de warme maaltijd.

UDDER
In the fifties udder was considered a real treat in the city of Rotterdam. And some butchers still sell it, both uncooked and cooked. The sliced udders are poached at least 5-6 hours and afterwards fried without any fat added. In the past udders from heifers were used. These days heifers are too young to be slaughtered so only udders of old milk cows are available, with a lesser taste. Thinly sliced udder is eaten on sandwiches, thicker slices are used as a dinner dish.

VLEESCROQUETTEN
4-5 STUKS

30 g boter
30 g bloem
2 dl bouillon
150 g gaar kalfsvlees of vleeswaar
1 eetl. fijngehakte peterselie
zout, peper
nootmuskaat
enkele druppels citroensap
paneermeel
1 ei
frituurvet

MEAT CROQUETTES
MAKES 4-5

30 g butter
30 g flour
2 dl stock
150 g cooked veal or cold cuts
1 tbsp. chopped parsley
salt, pepper
grated nutmeg
few drops of lemon juice
1 egg
breadbrumbs
oil for deep frying

Van de boter, de bloem en de bouillon een rouxsaus maken. Het vlees kleinsnijden en met de peterselie door de saus roeren. De saus op smaak brengen zout, peper, nootmuskaat en citroensap. De ragout op een diep bord uitstrijken en de bovenkant gladstrijken. De massa heel koud laten worden. De massa in 4-5 gelijke porties verdelen en met behulp van 2 lepels croquetten vormen. Ervoor zorgen dat er geen oneffenheden of barstjes ontstaan. Het ei met 2 eetlepels water in een bord loskloppen en de croquetten eerst door paneermeel rollen en met de hand bij vormen. Daarna achtereenvolgens door ei en paneermeel wentelen. De croquetten in heet frituurvet (180 °C) langzaam bruin bakken en op keukenpapier laten uitlekken. De croquetten op een voorverwarmd vleesschaaltje met een geplooid servetje leggen en garneren met een toefje peterselie.

Prepare a roux-based sauce with the butter, flour and stock. Finely dice the meat and spoon it into the sauce with the parsley. Season with salt, pepper, nutmeg and lemon juice. Spread the ragout on a soup plate and even the top out. Let cool till very cold. Divide into 4-5 portions and form croquettes with the aid of two spoons. The croquettes should be smooth without cracks or bumps. Beat the egg with 2 tablespoons of water. Roll the croquettes through breadcrumbs and shape them by hand. Dip in beaten egg and roll through breadcrumbs once more. Fry the croquettes slowly in hot oil till golden brown and drain on paper towels. Place croquettes on a heated serving plate covered with a folded napkin and garnish with parsley.

Variatie:
BITTERBALLEN

Vorm van vleesmengsel ca. 15 balletjes. Ga verder te werk zoals op p. 106 beschreven.

Voor een bittergarnituur bij de borrel om 17.00 uur worden bitterballen, blokjes kaas en eventueel plakjes worst met een augurkje, mosterd en een houten prikkertjes geserveerd.

HAZENPEPER

ca. 1 1/2 kg hazenbouten
zout, peper
100 g boter
100 g ontbijtspek, in dobbelsteentjes
2 eetl. tomatenpuree
bloem
3 dl rode wijn
1 eetl. zwarte-bessensiroop
1 ui
1/2 winterwortel
kruidnagelpoeder
2 blaadjes laurier
4-6 zwarte peperkorrels

De hazenbouten met zout en peper inwrijven. De boter in een grote pan verhitten en de stukken haas aan alle kanten bruin bakken. Het spek toevoegen en kort mee-bakken. Vervolgens de tomatenpuree erdoor roeren en het vlees met bloem bestuiven. De wijn en de zwarte-bes-sensiroop toevoegen en alles aan de kook brengen. Intussen de ui en de wortel schoonmaken en kleinsnij-den. Ui, wortel, kruidnagelpoeder, laurierblaadjes en gekneusde peperkorrels toevoegen en de haas met een deksel op de pan ca. 1 1/2 uur zachtjes stoven. Het vlees van het bot snijden, alles terug in de pan doen en de hazenpeper op smaak brengen met zout en peper.

Variation:
"BITTERBALLEN"

Form approx. 15 balls out of the cooled ragout. Follow the recipe on p. 106.

For a "Bittergarnituur" served with drinks around five o'clock in the afternoon "bitterballen" are served with cheese cubes, sometimes sliced cooked sausage, gherkins and mustard to be eaten with a special wooden, toothpick resembling, stick.

HARE STEW

approx. 1 1/2 kg hare cut in pieces
salt, pepper
100 g butter
100 cubed bacon
2 tbsp. tomato puree
flour
3 dl red wine
1 tbsp. black currant syrup
1 onion
1/2 carrot
powdered cloves
2 bay leaves
4-6 black pepper corns

Rub the hare with salt and pepper. Heat the butter in a large pan and brown the hare on all sides. Add bacon and fry shortly. Stir in tomato puree and dust the meat with flour. Add wine and black currant syrup and bring to the boil. In the meantime clean and dice the onion and carrot. Place onion, carrot, powdered cloves, bay leaves and crushed pepper corns into the pan and simmer the hare with a lid on approx. 1 1/2 hours. Cut the meat from the bones, replace to the pan and season the hare stew with salt and pepper.

Vogelnestjes / Scotch eggs (p. 106)

FILOSOOF

300 g gaar vlees
1 ui
50 g boter
4 dl bouillon of jus
1 eetl. maïzena
vleeskruiden naar smaak
versgemalen peper
750 g gekookte aardappelen
ca. 1¹/2 dl melk
zout, nootmuskaat
paneermeel
klontjes boter

Het vlees kleinsnijden. De ui pellen en fijnsnipperen . De helft van de boter verhitten en hierin het uitje glazig fruiten. De stukjes vlees met de bouillon toevoegen en zachtjes koken. Het vocht binden met de met water aangelengde maïzena. Het geheel op smaak brengen met peper en vleeskruiden. Van de aardappelen, de resterende boter en de melk een luchtige puree maken. De puree op smaak brengen met zout en nootmuskaat. Een ovenvaste schaal invetten, de helft van de puree in de schaal overdoen, daarover het vlees verdelen en het met de resterende puree afdekken. De bovenkant met paneermeel bestrooien en er klontjes boter over verdelen. De schaal ca. 40 minuten op het rooster in een voorverwarmde oven (175 °C) schuiven tot de bovenkant lichtbruin is.

Tip
Soms werd het vlees afgedekt met 3 in schijfjes gesneden appel.

Variaties:
VEGETARISCHE FILOSOOF
Vervang het vlees door 400 g gaar gekookte bruine bonen of 1 literblik bruine bonen met ca. 3 dl kookvocht. Ga verder te werk zoals hierboven beschreven.

FRIESE JACHTSCHOTEL
In een braadpan of wok 50 g boter of 3 eetl. olie verhitten en er 3 in ringen gesneden uien met 200 g in repen gesneden groene of savooiekool en 1 laurierblaadje lichtbruin roerbakken. De groenten op smaak brengen met kerriepoeder, zout en peper en 1 eetl. azijn. In een tweede pan 1 kg gare aardappelen fijnstampen met 1¹/2-2 dl melk, 40 g boter, zout, peper en nootmuskaat naar smaak. De helft van de puree in een beboterde ovenvaste schaal overdoen, daarover het ui-koolmengsel verdelen en bestrooien met 200 g geraspte Friese nagelkaas. Afdekken met de rest van de puree. De bovenkant met 50 g geraspte Friese nagelkaas en paprikapoeder bestrooien. De jachtschotel ca. 30 minuten in een warme oven (175 °C) zetten.

"FILOSOOF"

300 g cooked meat
1 onion
50 g butter
4 dl stock or gravy
1 tbsp. cornflour
seasonings to taste
750 g boiled potatoes
approx. 1¹/2 dl milk
salt, freshly ground pepper,
grated mace
breadcrumbs
butter

Dice the meat. Peel and chop the onion. Heat half the butter and sautee the onion. Add the meat with the stock and gently heat. Thicken the cooking liquid with a smooth paste of cornflour and water. Season to taste. Smoothly mash the potatoes with the rest of the butter and milk and season with salt, pepper and grated nutmeg. Grease an ovenproof dish, spread half of the mashed potatoes on the bottom, spoon over the meat and cover with remaining potatoes. Sprinkle with breadcrumbs and dot with butter. Bake in the centre of a preheated oven of 175 °C approx. 40 minutes till golden.

Tip
Sometimes 3 peeled, cored and sliced apples are put on top of the meat.

Variations:
VEGETARIAN "FILOSOOF"
Replace the meat with 400 g cooked kidney beans and 3 dl of their cooking liquid. Follow the recipe above.

FRISIAN HUNTING STEW
Heat 50 g butter or 3 tbsp. oil in a heavy pan or wok. Add 3 sliced onions with 200 g sliced green or savoy cabbage and 1 bay leaf. Stir fry till golden. Add 1 tbsp. vinegar with currypowder, salt and pepper to taste. In a another pan cook 1 kg potatoes and mash with 1¹/2-2 dl milk, 40 g butter, salt, pepper and grated nutmeg to taste. Spoon half the mashed potatoes into a greased ovenproof dish, spread with the onion-cabbage mix and 200 g grated Frisian clove-cheese. Top with remaining mashed potatoes. Sprinkle with 50 g grated Frisian clove-cheese and paprika powder. Bake approx. 30 minutes in a warm oven (175 °C).

HACHEE

3 uien
300 g gaar vlees (soepvlees)
60 g boter
1 laurierblaadje
1 kruidnagel
5 dl verdunde jus of bouillon
ca. 2 eetl. azijn
zout
30 g bloem of 20 g maïzena

De uien pellen en grof snipperen. Het vlees kleinsnijden. De boter verhitten en zodra deze bruin is de uien hierin bruinbakken. Het vlees met het laurierblaadje, de kruidnagel, de jus en de azijn toevoegen. De vloeistof aan de kook brengen en alles een uurtje zachtjes laten stoven. De bloem of maïzena met enkele eetlepels water gladroeren. Het vocht met de bloem of maïzena binden. Het laurierblaadje en de kruidnagel verwijderen.

Tip

Steek de kruidnagel in het laurierblaadje om ze aan het einde van de bereidingstijd gemakkelijk te kunnen verwijderen.

Variatie:
GESTOOFDE RUNDERLAPPEN

Ca. 600 g runder(sucade)lappen met zout en peper inwrijven en de lappen door de bloem wentelen. In een braadpan ca. 50 g boter verhitten en hierin het vlees snel aan alle kanten bruinbakken. Ca. 2¹/2 dl bouillon (tablet) erop schenken en de bouillon aan de kook brengen. Intussen 1 ui pellen, halveren en in ringen snijden. Twee tomaten in blokjes snijden en de ui met de tomaat, 1 laurierblaadje, 2 kruidnagels, 1 eetl. azijn en mespunt suiker aan het vlees toevoegen. De runderlappen ca. 3 uur met een deksel op de pan zachtjes stoven.

Typisch Hollands
BRABANTSE KOFFIETAFEL

Een Brabantse koffietafel, die als lunch wordt geserveerd, ziet er van oorsprong heel anders uit dan tegenwoordig. Men begon met een aperitief van brandewijn met suiker en daarna werd er koffie geschonken die niet te slap ('loerie') en niet te sterk, maar "bij an bij" moet zijn.
Verder stonden er sneetjes bruine en witte mikken op tafel. De sneetjes werden met reuzel besmeerd en met stroop belegd. Sneetjes krentenbrood belegd met kaas hoorden daar ook bij. Bij een luxe koffietafel kwamen er ook vleeswaren, gekookte of gerookte ham en zure zult op tafel. Daarbij werd dan keteltjeskoffie 'bij an bij' geserveerd.
In de jaren zestig werd de Brabantse koffietafel nog uitgebreid met een kopje soep vooraf en een 'kroket' als extra vleeswaar.

"HACHEE"

3 onions
300 g cooked meat (soup meat)
60 g butter
1 bay leaf
1 clove
5 dl diluted gravy or stock
approx. 2 tbsp. vinegar
salt
30 g flour or 20 g cornflour

Peel and chop the onions. Dice the meat. Heat the butter till brown and sautee the onions. Add meat with bay leaf, clove, gravy and vinegar. Bring to the boil and simmer for 1 hour. Make a smooth paste of flour or cornflour with some water and thicken the cooking liquid. Remove bay leaf and clove.

Tip

By putting the clove into the bay leaf both can easily be removed at the end of the cooking time.

Variation:
STEWED BEEF

Rub approx. 600 g stewing steak with salt and pepper and coat with flour. In a pan heat approx. 50 g butter and brown the meat quickly on all sides. Pour on approx. 2 dl stock (tablet) and bring to the boil. In the meantime peel, half and slice 1 onion. Wash and dice 2 tomatoes and add to the meat with the onion, 1 bay leaf, 2 cloves, 1 tbsp. vinegar and pinch of sugar. Simmer approx. 3 hours with a lid on the pan.

Typically Dutch
" BRABANTSE KOFFIETAFEL"

For the festive luncheons in the Province of Brabant people would sit around a table and start off with an aperitif of Dutch Genever with sugar after which coffee was served that was neither too weak ("sloerie") nor too strong: it had to be "bij an bij". On the table slices of white and brown local bread were to found to be spread with lard and treacle. Slices of raisin bread with slices of cheese were part of it too. The more luxurious luncheon table also held different cold cuts such as cooked ham and pickled head cheese. Coffee was served from a special coffee kettle.
Nowadays the luncheon most often starts with a cup of soup and apart from bread, butter, charcuteries, cheese and coffee, milk and buttermilk are served, as well as a "kroket" (meat croquette) as a warm snack.

Snert met katenspek en roggebrood / Peasoup with bacon and black bread (p. 119)

Winter

Winter

Niets is Nederlandser dan het feest van Sint Nicolaas, de Goed Heiligman uit Spanje die kleine kinderen op zijn verjaardag 5 december cadeautjes brengt. Na zijn aankomst per schip ca. 3 weken voor zijn verjaardag mogen de kinderen af en toe hun schoen bij de kachel (schoorsteen) zetten. Bij de schoen leggen de kinderen voor het schimmel van Sinterklaas een wortel, stro en een bakje water. Zoete kinderen in hun schoen krijgen wat lekkers, zoals suikergoed, chocolade kikkers, sigaretten, taai-taai of pepernoten, stoute kinderen de roe. Zwarte Piet klimt door de schoorsteen om het lekkers in de schoen te doen. In het grote boek houdt Sinterklaas het gehele jaar bij wie stout is. Stoute kinderen gaan in de zak mee terug naar Spanje.

Nothing is more Dutch than the festival of "Sint Nicolaas" or "Sinterklaas". On his birthday the 5th of December this Holy man from Spain brings gifts to small children. Approximately three weeks before his birthday he arrives by ship from Spain and from then on the children occasionally are allowed to place their shoe near the fire place. With it they put a carrot, some straw and a container of water for the grey horse of Sinterklaas. Good children receive sweets such as chocolate frogs and cigarettes, "taai taai" (special gingerbread) and "pepernoten" (spicy gingerbread nuts), naughty children get a rod. "Zwarte Piet" (Black Peter) climbs down the chimney to put the sweets into the shoes. Sint Nicolaas also has a large book in which he keeps track of the behaviour of the children all through the year. Naughty children are taken back to Spain with him in a large sack.

NESTELRODEPUDDING MET MARASQUINSAUS

25 g krenten
25 g rozijnen
25 g amandelen
2 eieren
3 1/2 dl melk
1/8 liter slagroom
100 g suiker
6 blaadjes gelatine
1 dl marasquin
25 g fijngehakte sukade

VOOR DE SAUS:
1 eetl. maïzena
2-3 eetl. suiker
1 eierdooier
4 dl melk
1 vanillestokje
2 eetl. marasquin

VOOR DE GARNERING:
1 dl slagroom
1 eetl. suiker

"NESTELRODEPUDDING" WITH MARASCHINO LIQUEUR SAUCE

25 g currants
25 g raisins
25 g almonds
2 eggs
3 1/2 dl milk
1/8 litre double cream
100 g sugar
6 sheets of gelatine
1 dl Maraschino liqueur
25 g chopped candied peel

FOR THE SAUCE:
1 tbsp. cornflour
2-3 tbsp. sugar
1 egg yolk
4 dl milk
1 vanilla pod
2 tbsp. Maraschino liqueur

TO GARNISH:
1 dl double cream
1 tbsp. sugar

In een steelpan de krenten en rozijnen met 1 dl water aan de kook brengen. Het vuur uitdraaien en de krenten en rozijnen met een deksel op de pan 15 minuten laten staan. De amandelen in een droge koekenpan roosteren. De eieren splitsen en de dooiers met 1 eetlepel suiker wit schuimig kloppen en met wat koude melk verdunnen. De eiwitten stijfslaan. De resterende suiker in een braadpan karameliseren tot de helft van het oppervlak schuimt. De karamel met een scheutje water afblussen en de resterende melk erop schenken. Blijven roeren tot de karamel is opgelost. De gelatine in ruim koud water weken. Wat van de hete karamel door het eimengsel roeren en daarna het resterende eimengsel al roerend toevoegen. Het mengsel in een schone pan gieten en al roe-

In a small saucepan bring currants and raisins to the boil with 1 dl water. Remove from the heat and let stand 15 minutes with the lid on. Dry-roast the almonds in a frying pan. Seperate the eggs, beat the yolks with 1 tablespoon sugar till white and foamy and stir in some of the cold milk. Beat the egg whites. Caramelise the remaining sugar in a cast iron pan till half of the surface is frothy. Cool the caramel with a little water and pour on the remaining milk. Stir till all of the caramel has dissolved. Soften the gelatine covered with cold water. Spoon a little of the hot caramel into the egg yolk mixture and stir the mixture into the remaining caramel. Pour into a clean pan and heat till thickened. Remove the pan from the heat and stir in the squeezed gelatine. Cool in cold

rend verwarmen tot de melk is gebonden. De pan van het vuur nemen en de uitgeknepen gelatine erin oplossen. De vla laten afkoelen tot het dik begint te worden. De krenten, rozijnen, de sukade, de fijngehakte noten met de marasquin door de vla scheppen. De slagroom stijfkloppen en eerst de slagroom en daarna het stijve eiwit door de vla spatelen. De vla in de vorm gieten en in de koelkast ten minste 6 uur laten opstijven.

Voor de saus de maïzena met de dooier en de suiker uitroeren en met wat koude melk verdunnen. De resterende melk met het opengesneden vanillestokje aan de kook brengen. De pan van het vuur nemen, de zaadjes uit het stokje schrappen en het stokje met de zaadjes terug in de pan doen. De melk met een deksel op de pan 30 minuten laten staan. Het eimengsel erdoor roeren en de melk al roerend aan de kook brengen tot deze is gebonden. De saus koud roeren, het vanillestokje verwijderen en de marasquin erdoor roeren.

Vlak voor het serveren de vorm kort in heet water dompelen en de pudding op een serveerschaal storten. De slagroom met de suiker stijfkloppen en de pudding hiermee garneren.

Variaties:
RIJSTEBRIJ

In een pan 1 liter melk met een snufje zout aan de kook brengen. Ca. 125 g gewassen paprijst erin strooien en alles kort doorroeren. De rijst een uur zachtjes laten koken. De melk is dan gebonden. Serveren met bruine basterdsuiker.

VANILLE-ROOMIJS

In een kom 6 eierdooiers met 150 g suiker met de mixer wit schuimig kloppen tot de suiker geheel is opgelost. In een pan 1/2 liter melk aan de kook brengen, de melk al roerend op het dooiermengsel schenken en tot ca. 85 °C verwarmen. De vla in een ijsmachine opdraaien of in een ijslaadje in de vriezer laten bevriezen. In het laatste geval de vla als deze bijna stijf opnieuw doorroeren om kristalvorming te voorkomen.

water till it starts to thicken. Stir in currants, raisins, candied peel, chopped nuts and Maraschino liqueur. Beat the double cream and into the caramel mixture first fold in the beaten cream and then the beaten egg whites. Pour into the mould and let set in the fridge for at least 6 hours.

For the sauce mix cornflour, egg yolk and sugar and stir in some cold milk. Bring the remaining milk to the boil with the split vanilla pod. Remove the pan from the heat, scrape the seeds from the pod and return pod and seeds to the pan. Let the milk stand 30 minutes with the lid on. Mix in the egg mixture and bring the milk to the boil while stirring and stir till thickened. Stir the sauce till cool. Remove the vanilla pod and stir in the Maraschino liqueur.

Just before serving lower the pudding mould briefly into hot water and remove the pudding from the mould onto a serving plate. Beat the cream with the sugar and use to garnish the pudding.

Variations:
"RIJSTEBRIJ"

Bring 1 litre milk and a pinch of salt to the boil. Stir in approx. 125 g rinsed dessert rice. Simmer the rice one hour. The milk should be thickened. Serve with soft brown sugar.

VANILLA ICE CREAM

In a mixing bowl with the mixer beat 6 egg yolks and 150 g sugar till white and foamy and the sugar has dissolved. Bring 1/2 litre milk to the boil, stir the milk into the yolk mixture and heat till approx. 85 °C. Churn the mixture in an ice making machine or pour into ice trays and put in the freezer. In that case stir the mixture till smooth just before it's frozen to prevent the forming of ice crystals.

Kapucijners met spek en piccalilly / Marrowfat peas with bacon and piccalilly (p. 123)

HOPJESVLA

25 g maïzena
125 g suiker
snufje zout
2 eierdooiers
3/4 liter melk
1 theel. oploskoffie
evt. schuimpjes

De maïzena met 2 eetlepels suiker, snufje zout en de eierdooiers uitroeren en daarna met enkele lepels melk verdunnen. De rest van de suiker met 3 eetlepels water in
een braadpan met dikke bodem laten karameliseren tot
de helft van het oppervlak schuimt. De karamel met een
klein scheutje water afblussen en de resterend melk erop
schenken. Blijven roeren tot de karamel is opgelost. De
oploskoffie erdoor roeren en de karamelmelk al roerend
binden met het dooiermengsel. De vla in een schaal
schenken. De eiwitten met een snufje zout stijfslaan en
door de vla spatelen. De vla onder regelmatig door roeren verder laten afkoelen.
De vla eventueel met schuimpjes opdienen.

WESTFRIESE KETELKOST

250 g groene erwten
9 kleine stoofperen
100 g gort
750 g pekelvlees
1 kleine groene kool

De erwten 6 uur weken in ruim koud water. De peren
schillen, de klokhuizen verwijderen en 3 uur in ruim
water koken. Halverwege de bereiding het pekelvlees, de
gort en de geweekte erwten toevoegen. Na 60 minuten
de in grove repen gesneden kool toevoegen en alles nog
25 minuten met een deksel op de pan zachtjes koken. Er
werden aardappelen met gesmolten boter bij geserveerd.

> Vroeger werden de ingrediënten elk apart in een
> zakje van neteldoek verpakt om ze later soort bij
> soort op een grote schaal te kunnen serveren.

"HOPJESVLA"
(CARAMEL-COFFEE SAUCE)

25 g cornflour
125 g sugar
pinch salt
2 egg yolks
3/4 litre milk
1 tsp. instant coffee
marsh mallows (optional)

Stir into the cornflour 2 tablespoons sugar, salt and egg
yolks and add a few spoonfulls of milk. Caramelise the
rest of the sugar with 3 tablespoons water in a cast iron
pan till half the surface is frothy. Cool the caramel with a
little water and pour on the remaining milk. Stir till the
caramel has dissolved. Stir in the instant coffee, add egg
yolk mixture and stir till thickened. Pour into a clean
mixing bowl. Beat egg whites with a pinch of salt and
fold into caramel sauce. Cool while stirring occasionally.
If wanted serve with marshmallows.

"WESTFRIESE KETELKOST"

250 g dried green peas
9 small cooking pears
100 g barley
750 g pastrami
1 small green cabbage

Soak the peas 6 hours covered with water. Peel and core
the pears and cook 3 hours in plenty of water. Add the
pastrami, barley and soaked peas. After 60 minutes add
cabbage cut into broad strips and simmer for another 25
minutes with the lid on. Potatoes with melted butter
were served with it.

> Traditionally every item was cooked separately
> packed in muslin to be served side by side on a
> large serving plate.

SNERT MET KATENSPEK EN ROGGEBROOD

500 g spliterwten
2 liter water
1 hamschijf (650 g)
200 g krabbetjes
1 rookworst
1/2 bos selderij
1 kleine knolselderij
1 winterwortel
2 preien
roggebrood
mosterd
katenspek

De erwten met het water, de hamschijf en de krabbetjes in ca. 1 1/2 uur gaar koken. Het vlees uit de pan nemen en eventueel kleinsnijden. De selderij wassen en fijnhakken, de knolselderij en de wortel schoonmaken en in blokjes snijden. De prei wassen en in dunne ringen snijden. De spliterwten tot pap roeren en het kleingesneden vlees, de rookworst met de selderij, de knolselderij, de wortel en de ringen prei aan de soep toevoegen. De soep eventueel verdunnen met wat water en nog 30 minuten zachtjes laten koken. De soep op smaak brengen met zout en peper. De rookworst uit de pan nemen, in plakjes snijden en terug in de soep doen.

De snert volgens oud gebruik met roggebrood met mosterd en katenspek serveren en als toetje pannenkoeken.

"SNERT" (PEA SOUP WITH BACON AND BLACK BREAD)

500 g split peas
2 litre water
650 g uncured gammon
200 g uncooked spare ribs
1 smoked Dutch sausage ("rookworst")
1/2 bunch celery
1 small celeriac
1 carrot
2 leeks
black bread
musterd
bacon

Cook peas, water, gammon and spare ribs approx. 1 1/2 hours till done. Remove the meat from the pan and cube it. Wash and chop the celery and clean and dice the celeriac and carrot. Wash and slice the leeks. Stir the peas to a mush and add meat, whole "rookworst", celery, celeriac and leeks. Dilute with water if necessary and simmer 30 minutes. Season with salt and pepper. Remove the sausage, slice it and return the slices to the pan.

Serve the soup the traditional way with black bread spread with mustard and filled with smoked bacon and serve pancakes as dessert.

HET ENE ROGGEBROOD IS HET ANDERE NIET
Bij stevige soepen hoort brood en bij snert natuurlijk roggebrood. Roggebrood is er in soorten en die zijn heel verschillend. Het Brabantse en Limburgse roggebrood verschillen van receptuur (ingrediënten) en bereidingswijze van de soorten roggebrood uit Noord Nederland. Het roggebrood uit Brabant en Limburg vraagt een baktijd van ca. 1 1/2 uur, terwijl het Groningse en Friese roggebrood een baktijd van 18 uur vergt. Door de fermentatie van de rogge heeft het noordelijk roggebrood een wat zoete smaak en is het roggebrood uit het zuiden wat minder zoet en wat droger. Daarom smaakt Brabants of Limburgs roggebrood wat beter bij snert en andere winter-peulvruchtsoepen dan het roggebrood uit de Noordelijke provincies.

NOT ALL BLACK BREAD IS THE SAME
Hearty soups and bread go together and Dutch pea soup is served with black rye bread. There are many different types of black bread in Holland. Black bread from the Provinces of Limburg and Brabant differs in ingredients and method of preparation to the black bread from the north of Holland. Baking time for the bread from Limburg and Brabant is approx. 1 1/2 hour where as black bread from Groningen and Friesland takes 18 hours. Bread from the north is slightly sweet because of the fermenting of the rye where as bread from the south is less sweet and somewhat dry. That is why black bread from Brabant or Limburg goes better with pea soup and other winter bean soups.

Boerenkool met rookworst / Kale with "rookworst" (p. 126)

DRIE IN DE PAN
8-10 STUKS

200 g zelfrijzend bakmeel
mespunt zout
1 ei
2¹/2 dl melk
100 g rozijnen
boter om te bakken

Het bakmeel, zout, ei en 1 dl melk in een mengkom doen en met een garde of met een mixer gladroeren. Het beslag met de resterende melk verdunnen en de rozijnen erdoor roeren. Het beslag 30 minuten laten rusten.
In een koekenpan een klontje boter verhitten en met enige tussenruimte 3 lepels beslag in de pan laten vallen. De pannenkoekjes ca. 3 minuten zachtjes bakken tot de bovenkant droog is. De dikke koekjes omdraaien en nog 1 minuut bakken tot de onderkant bruin is. De pannen-

"DRIE IN DE PAN" (THREE IN ONE PAN)
MAKES 8-10

200 g self raising flour
pinch salt
1 egg
2¹/2 dl milk
100 g raisins
butter for frying

Place flour, salt, egg and 1 dl milk into a mixing bowl and whisk into a smooth batter. Pour in the rest of the milk and stir in the raisins. Let the batter rest for 30 minutes.
Heat a dollop of butter in a frying pan and drop three heaps of batter into the pan with some space in between. Fry approx. 3 minutes till the top has dried, turn the thick pancakes and fry the other side approx. 1 minute till brown. Slide the pancakes onto a plate and prepare

koekjes op een bord laten glijden en van het overige beslag de pannenkoekjes op dezelfde manier bakken. De pannenkoekjes serveren met jam of honing, poedersuiker of stroop.

the rest of the batter in the same way. Serve with jam or honey, icing sugar or treacle.

Variaties:
PANNENKOEKEN

Van 250 g zelfrijzend bakmeel, mespunt zout, 2 eieren en ca. 5 dl melk een beslag maken zoals hiernaast beschreven. In een koekenpan een klontje boter verhitten. Een lepel beslag in de pan gieten en de pan ronddraaien tot de gehele bodem is bedekt. De pannenkoek 1 minuut op hoog vuur bakken, de pannenkoek omkeren en kort bakken.

SPEKPANNENKOEKEN

Enkele plakjes ontbijtspek in een koekenpan zachtjes uitbakken, het beslag erop schenken en bakken tot de bovenkant droog is. De pannenkoek omkeren en kort bakken.

APPELPANNENKOEKEN

In een koekenpan in een klontje boter schijven uitgeboorde appel van 5 mm dik om en om bakken. Er beslag opschenken en bakken tot de bovenkant droog is. Omkeren en kort bakken.

PIZZAPANNENKOEK

De pannenkoek met tomatensaus (pot) bestrijken. Daarover plakjes salami en ringen gefruite ui en plakjes champignon verdelen. Tot slot bestrooien met geraspte kaas en de kaas op de pannenkoekpizza onder de grill laten smelten.

FRUITPANNENKOEK

Maak een fruitsalade van aardbeien, partjes sinaasappel of mandarijn en banaan. Verdeel de salade over de pannenkoek en garneer met blaadjes munt.

Variations:
"PANNENKOEKEN" (PANCAKES)

Prepare a batter with 250 g self raising flour, pinch salt, 2 eggs and approx. 5 dl milk (see p. 120). In a frying pan heat a dollop of butter. Pour a ladle of batter into the pan, rotate the pan till the bottom is coated with batter. Fry the pancake 1 minute on high heat, turn and heat the other side shortly.

"SPEKPANNENKOEKEN" (PANCAKES WITH BACON)

Fry a few slices of bacon in a frying pan, pour on some batter and heat till the top is dry. Turn and heat shortly.

"APPELPANNENKOEKEN" (PANCAKES WITH APPLE)

In a frying pan in a little butter fry 5 mm slices of cored apple on both sides. Pour on the batter, heat till the top is dry, turn and heat shortly.

PIZZA PANCAKE

Spread pancakes with tomato sauce (jar). Place slices of salami, fried slices of onion and mushroom on top. Sprinkle with grated cheese and put under a hot grill to melt and brown.

FRUIT PANCAKE

Mix a fruit salad of strawberries, segments of orange or tangerine and slices of banana. Divide over the pancake and garnish with mint leaves.

Pannenkoeken werden bij ons al in de zestiende eeuw gegeten. Toen werden ze gemaakt van dun uitgerold brooddeeg die in reuzel werden gebakken. Pas veel later (achttiende eeuw) werd pannenkoekenbeslag van boekweitmeel, melk en gist bereid. Van het beslag werd samen met spek pannenkoeken 's winters op de kachel gebakken. In veel Nederlandse gezinnen met kleine kinderen wordt nog steeds 1 à 2 keer per maand pannenkoeken als warme maaltijd gegeten.

In Holland pancakes were eaten as early as the 16th century. At that time it was a flattened piece of bread dough fried in lard. Not until the 18th century did the batter of buckwheat, milk and yeast appear. In winter, pancakes with bacon were made on the coal stove. Nowadays in many Dutch families children still have pancakes as their main meal once or twice a month.

BROEDER OF POFFER

10 g of 1/2 zakje gedroogde gist
2 dl lauwwarme melk
200 g bloem
1/4 theel. zout
1 ei
100 g krenten en rozijnen

De gist vermengen met een gedeelte lauwe melk. Bij gedroogde gist de aanwijzingen op de verpakking volgen. De bloem in een mengkom doen en het zout erdoor roeren. Een kuiltje in het midden maken, het gistmengsel erin gieten en het ei boven het kuiltje breken. De bloem vanuit het midden naar buiten roeren en geleidelijk een gedeelte van de melk toevoegen tot een dik beslag ontstaat. De krenten en rozijnen door het beslag roeren.

Het beslag beslaan door het met een houten lepel tegen de wand van de kom te slaan. Het beslag verdunnen met de resterende melk, met een vochtige doek afdekken en ca. 1 uur laten rijzen.

In een hapjespan van ca. 20 cm doorsnede klontje boter verhitten en het beslag erin gieten. Het vuur temperen zodra de onderkant bruin en krokant is en het beslag in ca. 50 minuten gaar laten worden. De broeder omkeren, nog wat boter in de pan doen en de broeder bakken tot de onderkant bruin is.

Variatie:
JAN IN DEN ZAK

Van 500 g bloem, 200 g krenten en rozijnen en stukjes sucade, 2 eieren, 50 g gist of 2 zakjes gedroogde gist een beslag maken zoals hierboven aangegeven. Een kleine kussensloop uitspoelen in lauw water, de binnenkant met bloem bestuiven en het beslag erin doen. Het kussensloop dichtbinden, maar ervoor zorgen dat er voldoende ruimte overblijft voor het uitrijzen. Een bordje op de bodem van de pan leggen, het water aan de kook brengen en het kussensloop met het beslag in de pan hangen. De pudding 2-3 uur zachtjes koken. De pudding is gaar als er een mes droog uitkomt. De pudding met een stroopsaus serveren. Voor de stroopsaus 30 g bloem met 4-6 eetl. melk gladroeren. Het bloempapje met nog een paar lepels melk verdunnen en 2 dl melk aan de kook brengen. De melk met het bloempapje binden en er 50 g boter en 150 g stroop door roeren.

"BROEDER" OR "POFFER"

10 g fresh or 1/2 sachet dry yeast
2 dl luke warm milk
200 g flour
1/4 tsp. salt
1 egg
100 g currants and raisins

Mix yeast with part of the lukewarm milk. Follow the instructions for dry yeast. Place the flour in a mixing bowl and stir in the salt. Make a well in the centre, pour in the yeast mix and break the egg over it. Stir the flour from the middle to the outside and gradually add part of the milk to form a thick batter. Add currants and raisins. Beat the batter on the side of the bowl. Soften with the remaining milk, cover with a damp cloth and let rise approx. 1 hour.

In a deep frying pan of approx. 20 cm diameter heat a dollop of butter and pour the batter in. Turn the heat down as soon as the bottom is brown and crisp and cook on low heat approx. 50 minutes till done. Turn and fry till the other side is browned as well.

Variation:
"JAN IN DEN ZAK" (JOHNNY IN THE BAG)

Prepare a dough of 500 g flour, 200 g currants, raisins and candied peel, 2 eggs, 50 g fresh or 2 sachets dry yeast (see above). Rinse a small pillowcase in luke warm water and coat the inside with flour. Stuff the case with the dough, tie a string around it leaving enough space for rising. Place a plate on the bottom of a pan, fill the pan with water and bring to the boil. Hang the stuffed pillowcase into the water and cook the pudding 2-3 hours on low heat. The pudding is done when a knife comes out clean.

Serve with treacle sauce: mix 30 g flour and 4-6 tbsp. milk into a smooth paste. Add a few more spoonfulls of milk and bring the remaining 2 dl milk to the boil. Thicken the milk with the flour paste and mix in 50 g butter and 150 g treacle.

KOOLWARMOES

500 g pekelvlees met spekrandje
2 liter melk
2 grote uien
1/2 witte kool
bloem
zout, peper, nootmuskaat

Het pekelvlees in stukken snijden en met de melk aan de kook brengen. Intussen de uien pellen en in ringen snijden. De kool schoonmaken en in repen snijden. De ui en de kool bij het vlees doen en 30 minuten zachtjes koken. De bloem met een paar eetlepels water gladroeren en hiermee de melk binden. Het gerecht op smaak brengen met zout, peper en nootmuskaat.

"KOOLWARMOES"

500 g pastrami
2 litre milk
2 large onions
1/2 head white cabbage
flour
salt, pepper, grated nutmeg

Cube the meat, place into the milk and bring to the boil. In the meantime peel and slice the onions. Clean the cabbage and cut into strips. Add onion and cabbage to meat and simmer 30 minutes. Mix the flour with a few spoonfuls of water and thicken the milk. Season with salt, pepper and grated nutmeg.

KAPUCIJNERS MET SPEK EN PICCALILLY

500 g kapucijners
200 g ontbijtspek, in blokjes
3 uien
evt. boter
zout

De kapucijners een nacht weken in 2 liter koud water. De peulvruchten met schoon water in ca. 45 minuten gaar koken. In een koekenpan de spekblokjes langzaam uitbakken. Intussen de uien pellen en grof snijden. De spekblokjes uit de pan nemen en op keukenpapier laten uitlekken. De uien in het spekvet eventueel met nog wat boter fruiten tot ze zacht zijn. De kapucijners afgieten en het spek met de ui en wat van het spekvet door de kapucijners scheppen. De kapucijners op smaak brengen met zout en serveren met piccalilly of met zoetzure augurkjes en zilveruitjes.

MARROWFAT PEAS WITH BACON AND PICCALILLY

500 marrowfat peas
200 g cubed bacon
3 onions
butter (optional)
salt

Soak the marrowfat peas overnight in 2 litres cold water. Drain and cook pulses with clean water approx. 45 minutes till done. Fry the bacon in a frying pan over low heat till crisp. Peel and chop the onion. Remove the bacon with a slotted spoon and drain on paper towels. Heat the onions in the fat with butter added, if necessary, till soft. Drain the marrowfat peas and spoon in bacon, onion and some bacon fat. Season with salt and serve with piccalilly, gherkins and pearl onions.

Vaak werd bij bovengenoemd recept een nagerecht met melk en/of rijst met vruchten geadviseerd. Piccalilly, vroeger ook wel groenten in mosterdzuur genaamd, is een tafelzuur, bereid van diverse groenten, zoals, bloemkool, worteltjes, doperwtjes, slabonen, komkommer, augurken en zilveruitjes.

Often when serving this dish, a dessert with milk and/or rice and fruit was advised to follow. Piccalilly, also known as pickled vegetables with mustard, is made with vegetables such as cauliflower, carrots, peas, green beans, cucumber, gherkins and pearl onions.

Kerststol / Christmas "stol" (p. 127)

BOERENKOOL MET ROOKWORST

600 g gesneden boerenkool
1 kg aardappelen
1 verse rookworst
zout
ca. 1¹/2 dl melk
35 g boter
1 eetl. Zaanse mosterd

De boerenkool met een bodempje water ca. 10 minuten voorkoken. Intussen de aardappelen schillen en in een grote pan overdoen. De voorgekookte boerenkool erover verdelen en de rookworst erop leggen. Alles in ca. 30 minuten gaar koken. De worst uit de pan nemen en het kookvocht afgieten. De boerenkool en de aardappelen met de melk, de boter en de mosterd door elkaar stampen en de stamppot op smaak brengen met zout. De worst in plakjes snijden en bij de boerenkool serveren.

Rookworst is vacuümverpakt te koop en vers van de slager. Een slagerrookworst moet voor het gebruik worden gekookt of geweld. Een vacuümverpakte rookworst hoeft alleen maar te worden opgewarmd. Breng voor een verse rookworst zoveel water aan de kook dat de worst net onderstaat en houd de worst ca. 15 minuten tegen de kook. Snijd de worst daarna in plakjes.

BRUINENBONENSOEP

250 g bruine bonen
1 kleine winterwortel
1 prei
bosje selderij
1 laurierblaadje
1 verse rookworst

De bruine bonen 24 uur in ruim 1 liter koud water weken. De bonen met schoon water in ca. 1 uur gaar koken. De groenten schoonmaken en kleinsnijden. De bruine bonen boven een schone pan door een zeef wrijven. De kleingesneden wortel, prei en fijngehakte selderij met het laurierblaadje door de soep roeren en de soep nog 30 minuten zachtjes laten koken. Ca. 15 minuten voor het einde van de kooktijd de rookworst erbij doen. Vlak voor het serveren de rookworst uit de soep nemen, in plakjes snijden en bij de soep doen. Het laurierblaadje verwijderen en de soep op smaak brengen met zout en peper.

Tip
In plaats van wortel, prei en selderij kan ook 300 g kant-en-klaar gesneden soepgroenten worden gebruikt.

KALE WITH "ROOKWORST"

600 g finely diced kale
1 kg potatoes
1 fresh smoked Dutch sausage ("rookworst")
salt
approx. 1¹/2 dl milk
35 g butter
1 tbsp. "Zaanse" mustard

Pre-cook the kale 10 minutes with a little water. Peel the potatoes and put them in a large pan. Add the kale and place the sausage on top. Cook approx. 30 minutes till done. Remove the sausage from the pan and pour off the cooking liquid. Mash the kale and potatoes with milk, butter and mustard and season with salt. Slice the sausage and serve with the hotchpotch.

Dutch smoked sausage is for sale both vacuum-packed and fresh. The fresh sausage sold by butchers has to be pre-cooked before use. A vacuum-packed sausage only has to be reheated. For a fresh sausage bring enough water to the boil to cover, add the sausage and keep to the boil. Slice and serve.

BEAN SOUP

250 g kidney beans
1 small carrot
1 leek
bunch celery
1 bay leaf
1 Dutch smoked sausage ("rookworst")

Soak the beans 24 hours in 1 litre cold water. Cook the beans in clean water approx. 1 hour till done. Clean and dice the vegetables. Put the beans through a sieve over a clean pan. Stir in the diced carrot and leek, the chopped celery with the bay leaf and simmer 30 minutes more. Approx. 15 minutes before the end of the cooking time add the sausage. Remove the sausage just before serving, slice it and return the slices to the soup. Remove the bay leaf and season the soup with salt and pepper.

Tip
Instead of the carrot, leek and celery 300 g packed diced vegetables for soup can be used.

KERSTSTOL

1 pak wit broodmix
3 dl lauwwarm water
25 g boter, gesmolten
bloem

VOOR DE VULLING:
300 g krenten en rozijnen
300 g amandelspijs
1 eetlepel citroensap
1 eierdooier
150 g gemengde fijngehakte noten
poedersuiker

Voor de vulling de krenten en rozijnen 30 minuten in warm water wellen.

Het lauwwarme water in een beslagkom gieten en de inhoud van het pak broodmix erdoor roeren. De boter toevoegen en van de ingrediënten een soepel deeg kneden. Het deeg afgedekt met een vochtige theedoek op een warme plaats ca. 10 minuten laten rijzen.

Het deeg opnieuw doorkneden en nogmaals 15 minuten afgedekt laten rijzen.

De spijs met het citroensap en de dooier vermengen en er een rolletje van vormen. De krenten en rozijnen laten uitlekken en droogdeppen met keukenpapier. De krenten en rozijnen met de fijngehakte noten door het deeg kneden.

Het aanrecht met bloem bestuiven, het deeg erop leggen en tot een ovale lap uitdrukken. Het rolletje spijs in het midden leggen en het deeg zo dubbel klappen dat de bovenkant iets korter is dan de onderkant. Het deeg op een met bakpapier beklede bakplaat onder een vochtige doek met daaroverheen een stuk plasticfolie ca. 35 minuten laten rijzen.

Intussen de oven 10 minuten voorverwarmen op 200 °C. De kerststol ca. 45 minuten midden in de hete oven bruin en gaar bakken. De kerststol uit de oven nemen, op een rooster laten afkoelen en met poedersuiker bestrooien.

CHRISTMAS "STOL"

1 package white bread mix
3 dl luke warm water
25 g butter, melted
flour

FOR THE FILLING:
300 g currants and raisins
300 almond paste
1 tbsp. lemon juice
1 egg yolk
150 mixed, chopped, unsalted nuts
icing sugar

For the filling soak the currants and raisins 30 minutes in warm water.

For the dough put the luke warm water in a bowl and stir in the bread mix. Add the butter and knead into an elastic dough. Cover the bowl with a damp towel and let rise in a warm spot approx. 10 minutes. Knead the dough and let rise again, covered, 15 minutes.

Mix almond paste with lemon juice and egg yolk and form into a roll. Drain the currants and raisins and dry with paper towels. Knead currants, raisins and nuts into the dough.

Dust the counter with flour, place the dough on it and form into an oval shape. Place the almond paste in the centre and fold the dough over so that the top is slightly shorter than the bottom. Place on a wax paper covered baking tray, put a damp towel over it and cover with cling film. Let rise approx. 35 minutes.

Preheat the oven to 200 °C and bake the Christmas "stol" 45 minutes in the centre of the oven till brown and done. Remove from the oven, cool on a rack and sift over icing sugar.

KRENTENWEGGE

Wie in Twente te gast is, wordt vaak onthaald met een snee vers brood rijkelijk gevuld met krenten en rozijnen en royaal besmeerd met roomboter. Het wigvormige brood, waaraan het zijn naam wigge of wegge (weggi is ousaksisch voor wig), is van oorsprong een geschenk dat de buren brachten bij de geboorte van een kind. In Twente groeide krentenwegge uit tot een symbool van noaberschap (de burenhulp). "Met 'n kromme arm goan", heette het als men met het versgebakken krentenbrood onder de arm naar de buren ging als reactie op de blijde boodschap. En iedereen deelde mee, want zowel de gulle gever als de andere gasten kregen een stuk mee naar huis. Behalve in Overrijssel wordt de krentenwegge ook in Gelderland gegeten. Daar noemt men het pillewegge of kraamschudderswegge. In Brabant heet het krentenmik of krentenstoet en in Limburg spreekt men van pruumkeswek, afgeleid van de vruchten die eerst worden geweekt alvorens ze aan het deeg worden toegevoegd.

"KRENTEWEGGE"

Visitors to the area of Twente often are served a delicious slice of fresh bread richly filled with currants and raisins and spread with a thick layer of butter. The wedge-shaped bread (hence the name "wegge" from the old Saxon dialect) was origionally brought as a gift at the birth of a baby by neighbours and grew into a symbol of "noaberschap" (neighbourly help). The arrival at the neighbour's door with the freshly baked bread in reaction to the happy news of the new birth was called "met 'n kromme arm goan": going with a bent arm. Everybody shared, hosts, guests and even the generous baker went home with a piece of the bread. Apart from the Province of Overijssel the "krentewegge" is also eaten in the Province of Gelderland. There it is called "pillewegge" or "kraamschudderswegge". In the Province of Brabant it goes by the name of "krentenmik" or "krentenstoet" and in the Province of Limburg it is called "pruumkeswek" since the dried fruit is soaked before adding it to the dough.

GEVULD SPECULAAS
SPRINGVORM VAN 24 CM DOORSNEDE

500 g zelfrijzend bakmeel
375 g harde boter
350 g lichtbruin basterdsuiker (gezeefd)
ca. 1 eetl. speculaaskruiden
1/2 theel. citroenrasp
zout

VOOR DE VULLING:
500 g amandelspijs
2 eierdooiers
1 eiwit
1/2 eetl. citroenrasp

VOOR DE GARNERING:
koffieroom
hele amandelen

"GEVULD SPECULAAS"
SPRINGFORM TIN OF 24 CM DIAMETER

500 g self raising flour
375 g hard butter
350 g soft light brown sugar
approx. 1 tbsp. "speculaas" spices
1/2 tsp. lemon peel
salt

FOR THE FILLING:
500 g almond paste
2 egg yolks
1 egg white
1/2 tsp. lemon peel

TO GARNISH:
single cream
whole almonds

Het bakmeel, kleingesneden boter, basterdsuiker, speculaaskruiden, citroenrasp en zout naar smaak in een foodprocessor tot een samenhangend deeg kneden. Het deeg met een koele hand nog even doorkneden en, verpakt in plasticfolie, 30 minuten in de koelkast laten rusten. Amandelspijs, dooiers en citroenrasp door elkaar mengen. Het eiwit licht opkloppen. De springvorm invetten en de oven voorverwarmen op 160 °C. Het deeg in 2 porties verdelen en een portie uitdrukken. Ook de opstaande rand met het deeg te bekleden. De amandelspijs over de bodem verdelen. De rest van het deeg uitrollen. De rand met eiwit bestrijken en de spijs met de tweede deeglap afdekken. De bovenkant met koffieroom bestrijken en met de hele amandelen garneren. De taart midden in de oven in ca. 30 minuten bakken.

In a food processor knead self raising flour, diced butter, soft sugar, spices, lemon peel and salt to taste into a soft dough. Knead shortly with a cool hand, pack in cling film and let rest 30 minutes in the fridge. Mix almond paste, egg yolks and lemon peel with a fork. Beat the egg white lightly. Butter the springform tin and preheat the oven to 160 °C. Divide the dough into 2 equal portions and roll one portion out to fit bottom and sides of the springform tin (or press out into the tin). Divide the almond paste over the bottom. Roll out the second portion of dough, brush the sides with egg white and place the dough on the almond paste. Brush the top with single cream and decorate with almonds.
Bake in the centre of the oven at 160 °C approx. 30 minutes till golden and done.

Speculaasjes en warme chocolademelk / "Speculaasjes" and warm chocolate milk (p. 130/134)

Variatie:
SPECULAASJES

Van 200 g zelfrijzend bakmeel, 1¹/2 eetl. speculaaskrui-den, mespunt zout, 100 g bruine basterdsuiker en 125 g harde boter en evt. 1 eetl. water een samenhangend deeg kneden. Het deeg in plasticfolie verpakken en in de koelkast 30 minuten laten rusten. Een speculaasplank met bloem bestuiven. Het deeg in de openingen drukken, de bovenkant met de achterkant van een mes gladstrijken. De speculaasjes uit de plank slaan en op een met bakpapier beklede bakplaat leggen. De speculaasjes in een voorverwarmde oven (160 ° C) in ca. 20 minuten gaar en bruin bakken.

Variation:
"SPECULAASJES"

Mix a dough of 200 g self raising flour. 1¹/2 tbsp. "speculaas" spices, pinch salt, 100 g soft brown sugar, 125 g hard butter and if necessary 1 tbsp. water. Pack in cling film and leave to rest in the fridge 30 minutes. Dust a wooden "speculaas" cookie mould with flour. Press the dough into the mould and scrape flat with the back of a knife. Beat to remove the cookies from the mould and place on a baking tray covered with waxed paper. Bake the cookies in a preheated oven (160 °C) in approx. 20 minutes golden and done.

BISSCHOPSWIJN

Speculaasjes zijn typisch sinterklaasgebak, evenals bisschopswijn. Breng voor deze drank 1 flesje bessensap met evenveel water, 1 goed gewassen sinaasappel bestoken met 4 kruidnagels, 1 kaneelstokje en ca. 75 g suiker aan de kook en laat de drank ca. 50 minuten zachtjes koken. Tegenwoordig wordt het bessensap en het water vervangen door 1 fles rode wijn, maar oorspronkelijk werd hij gemaakt met bessensap.

BISHOP WINE

"Speculaasjes" are cookies served typically at Sint Nicolaas on December 5th. Often bishop wine is served as well: heat one bottle of currant juice with the same amount of water. Add 1 rinsed orange with 4 cloves pressed into it, 1 cinnamon stick and approx. 75 g sugar and simmer approx. 50 minutes. Nowadays the currant juice and water are replaced with 1 bottle of red wine, but the origional recipe is with currant juice.

BOTERSTAAF
2 STUKS

250 g bladerdeeg (kant-en klaar)
250 g amandelspijs
1 ei

De oven voorverwarmen op 210-225 °C.
De spijs in 2 porties verdelen en elke portje tot een dun rolletje van ca. 18 cm lang uitrollen. Het bladerdeeg uitrollen tot een rechthoekige lap van 25 x 20 cm. De lap in de lengte doorsnijden. In het midden een rolletje amandelspijs leggen. De randen van het deeg nat maken en om de spijs vouwen. De randen goed aandrukken en de staaf met de naad onder op een met bakpapier beklede bakplaat leggen. De handeling herhalen met de resterende ingrediënten. Het ei met een lepel water loskloppen. De staven met losgeklopt ei bestrijken en ze ca. 25 minuten in de voorverwarmde oven goudbruin bakken.

"BOTERSTAAF"
MAKES 2

250 g deep-frozen flaky pastry
250 g almond paste
1 egg

Preheat the oven to 210-225 °C.
Divide the almond paste into two portions and roll each into a thin roll of approx. 18 cm. Roll the dough into a square of 25x20 cm, cut in two lenghtways and put the almond paste in the middle of both sheets. Wet the edges of the dough and fold the dough around the almond paste. Press to seal and place with the fold under on a baking tray covered with waxed paper. Beat the egg with a spoonful of water and brush the dough with it. Bake approx. 25 minutes till golden brown.

Tip

Zelf amandelspijs maken, zie p. 134.

For the recipe of almond paste see p. 134.

> Dit specifieke Sinterklaas- en Kerstgebak is ook onder de namen: banket-, amandel- of boterstaaf bekend.

> "Boterletter" is also known by the names of "banket", "amandelstaaf" and "boterstaaf" in Holland and is typically served in December at Sint Nicolaas and Christmas.

BORSTPLAAT

250 g suiker
3-4 eetl. water
1 theel. oploskoffie of 2 theel. cacaopoeder

De borstplaatvormen nat maken en op bakpapier plaatsen. De suiker met het water in een steelpan aan de kook brengen en laten koken tot de laatste druppel die van de lepel valt een draad trekt. De pan van het vuur nemen en de oploskoffie erdoor roeren. Blijven roeren tot de suikermassa dik en troebel wordt. De suikermassa in de vormen gieten en de borstplaat laten afkoelen.

Variatie:
FONDANT-BORSTPLAAT
Vervang het water door melk of koffieroom.

"BORSTPLAAT" (FONDANT)

250 g sugar
3-4 tbsp. water
1 tsp. instant coffee or 2 tsp. powdered cacao

Rinse special fondant moulds with cold water and place on waxed paper. Bring sugar and water to the boil and let boil till the last drop from the spoon forms a thread. Remove the pan from the heat and stir in the instant coffee. Stir till sugar mix turns opaque and thick. Pour into the moulds and leave to cool.

Variation:
"FONDANT-BORSTPLAAT"
Replace the water with milk or single cream.

NIEUWJAARSROLLETJES

200 g boter
100 g boekweitmeel
150 g bloem
1/2 eetl. kaneel
200 g witte basterdsuiker
1 ei
scheutje melk

De boter in een pannetje smelten, wat laten afkoelen en tot gebruik laten staan.
In een mengkom boekweitmeel, bloem, kaneel en basterdsuiker door elkaar roeren. Het ei, de helft van de gesmolten boter (zonder bezinksel) en 2 eetlepels melk toevoegen en roeren tot een smeuïg deeg ontstaat. Het deeg 10 minuten doorroeren en vervolgens de rest van de gesmolten boter toevoegen. Van het deeg kleine balletjes maken en er in een wafelijzer goudbruine wafeltjes van bakken. De wafeltjes direct na het bakken om de steel van een houten lepel rollen.

NEW YEAR'S ROLLS

200 g butter
100 g buckwheat flour
150 g flour
1/2 tbsp. cinnamon
200 g soft white sugar
1 egg
splash of milk

Melt the butter in a small saucepan, let cool and keep till later.
In a mixing bowl mix buckwheat flour, flour, cinnamon and sugar. Stir in the egg with half the melted butter (without the sediment) and 2 tbsp. milk to make a smooth batter. Beat the batter for 10 minutes and add the remaining milk. Form into small balls and bake these in a special waffle iron to make small waffles. Immediately after baking roll the waffles around the handle of a wooden spoon.

HOBBELDEBOB

1 liter melk
1 vanillestokje
nootmuskaat
4 eieren
brandewijn naar smaak

De melk met het opengespleten vanillestokje en noot-muskaat naar smaak langzaam aan de kook. De eieren loskloppen, wat hete melk toevoegen en het eimengsel in de hete melk teruggieten. Het mengsel al kloppend aan de kook brengen en de brandewijn toevoegen. De warme drank over hittebestendige glazen verdelen en warm drinken.

Variaties:
ADVOCAAT

In een kom 7 middelgrote eieren met het merg van 1/2 vanillestokje en 150 g suiker kloppen tot de suiker is opgelost. De kom op een iets grotere pan met water tegen de kook zetten en geleidelijk al kloppend 1/2 liter brandewijn erdoor kloppen tot het mengsel is gebonden. Pas op dat de advocaat niet schift. De advocaat laten afkoelen en in schone flessen schenken.

SOESJES MET ADVOCAATROOM

In een steelpan 125 ml water met 50 g boter en snufje zout in een steelpan aan de kook brengen tot de boter is opgelost. In één keer 90 g zelfrijzend bakmeel al roerend aan het botermengsel toevoegen en roeren tot het deeg als een bal van de bodem loslaat. De deegbal in een mengkom overdoen en eerst 1 ei en daarna een 2ᵉ ei erdoor roeren. Geen ei meer toevoegen als het deeg mooi glanst en als een lang lint van de lepel valt. De oven voorverwarmen op 200 °C. Het deeg in een spuitzak met een glad mondje overdoen en op een met bakpapier beklede bakplaat 24 toefjes spuiten. De soezen in het midden van de voorverwarmde oven in ca. 30 minuten goudbruin bakken. De soezen na het bakken laten afkoelen en doorsnijden.
Voor de vulling 1/4 liter slagroom met 1 zakje slagroom-versteviger en 1-2 eetl. suiker stijfkloppen. Voor de smaak 2-3 eetl. advocaat door de slagroom roeren en het advocaatmengsel in een spuitzak overdoen. De soesjes met de advocaatroom vullen. De bovenkant erop zetten en met poedersuiker bestrooien.

MOORKOPPEN

Van het soezenbeslagen 12 grote toeven op de bakplaat spuiten en de soezen bij dezelfde temperatuur 5 minuten langer bakken. De soezen vullen met stijfgeslagen slag-room en de bovenkant in gesmolten chocolade dopen. De bovenkant garneren met een toef slagroom.

BOSSCHE BOLLEN

In plaats van 12 soezen 10 soezen maken. De soezen met slagroom vullen en de bovenkant in gesmolten chocola-de dompelen.

"HOBBELDEBOB" (EGG NOGG)

1 litre milk
1 vanilla pod
grated nutmeg
4 eggs
preserving brandy to taste

Slowly bring milk, split vanilla pod and grated nutmeg to the boil. Beat the eggs, add some of the hot milk and pour the egg mixture into the remaining hot milk. Whisk to the boil. Stir in the preserving brandy. Divide the drink over heatproof glasses and drink while warm.

Variations:
"ADVOCAAT"

In a mixing bowl beat 7 medium eggs with the seeds of 1/2 vanilla pod and 150 g sugar till the sugar has dissolved. Place the bowl on a pan with water kept to the boil and gradually add, while beating, 1/2 litre preserving brandy. Beat till thickened. Be careful not to let it curdle. Leave the "advocaat" to cool and pour into clean bottles.

"ADVOCAAT" CREAM PUFFS

In a saucepan heat 125 ml water with 50 g butter and a pinch salt till the butter has melted. Add 90 g self raising flour at once and beat until mixture is smooth and pulls away from the sides of the pan to form a ball. Place the dough ball into a bowl and add the eggs one at the time. Stop adding egg the moment the dough is shiny and falls from a spoon. Preheat the oven to 200 °C. Spoon the dough into a piping bag with plain tube and pipe 24 small rounds onto a waxed paper covered baking tray. Bake in the centre of the preheated oven approx. 30 minutes till golden. Leave to cool and cut in half.
For the filling beat 1/4 litre double cream with 1 sachet powdered whipping cream stabiliser and 1-2 tbsp.sugar. Fold in 2-3 tbsp. "advocaat" and put the cream into a piping bag. Fill the choux pastry with the cream, put the top on and dust with icing sugar.

"MOORKOPPEN"

Make choux dough (see above). Pipe 12 rounds on a baking tray and bake at 200 °C approx. 35 minutes. Fill with whipped cream, dip into hot chocolate and garnish with whipped cream.

"BOSSCHE BOLLEN"

See recipe above, make 10 instead of 12 rounds of choux pastry. After cooling fill with whipped cream and dip into hot chocolate.

Boerenjongens en boerenmeisjes / "Boerenjongens" and "Boerenmeisjes" (p. 138)

PENSEETAART
SPRINGVORM
VAN 18 CM DOOSNEDE

160 g bloem
120 g boter
80 g witte basterdsuiker
snufje zout
1/2 losgeklopt ei
250 g amandelspijs
2 eetl. citroensap
abrikozenjam
50 g poedersuiker

Van de bloem, de boter, de basterdsuiker, het zout en
1/2 ei in een foodprocessor een deeg kneden. Het deeg
met een koele hand doorkneden en afgedekt in de koelkast 30 minuten laten rusten. De springvorm invetten.
De oven voorverwarmen op 160 °C. Het citroensap
door de spijs mengen. Wat deeg achterhouden voor de
bovenkant, de rest van het deeg uitrollen en de vorm
ermee bekleden. De spijs over het deeg verdelen. De restjes deeg uitrollen en er repen van snijden. De repen deeg
traliegewijs over de taart leggen. Het traliewerk met het
resterende ei bestrijken. De vorm op het rooster midden
in de oven zetten en het gebak in ca. 45 minuten bruin en
gaar bakken. De taart uit de oven nemen, de bovenkant
direct met abrikozenjam bestrijken en de taart laten
afkoelen. Uit de vorm nemen. Vlak voor het serveren de
poedersuiker met 1-2 eetlepels water gladroeren en de
bovenkant met het glazuur bedekken.

Variaties:
AMANDELSPIJS
In een foodprocessor 125 g amandelen met 4 bittere
amandelen, 125 g suiker, 1/2 ei en wat citroenrasp en
1-2 eetl. citroensap vermengen tot een homogeen mengsel ontstaat.
MINI PENSEETAARTJES IN MUFFINPLAAT
Een muffinplaat invetten en in elke opening wat deeg
uitdrukken. Daarover wat spijs verdelen en deze afdekken met reepjes deeg. De bovenkant met losgeklopt ei
bestrijken en de taartjes ca. 25 minuten in een voorverwarmde oven bakken.

WARME CHOCOLADEMELK

1 eetl. suiker
1 eetl. cacaopoeder
1 1/2 dl melk

In een melkbeker de suiker met het cacaopoeder door
elkaar roeren en met een scheutje melk tot een glad papje roeren. De rest van de melk in een steelpan warm
maken en al roerend op het cacaomengsel gieten.

"PENSEE" PIE
SPRINGFORM TIN OR PIE TIN
OF 18 CM DIAMETER

160 g flour
120 g butter
80 g soft white sugar
pinch salt
1/2 beaten egg
250 g almond paste
2 tbsp. lemon juice
apricot jam
50 g icing sugar

In a food processor knead a dough of flour, butter, soft
sugar, salt and 1/2 egg. Knead the dough with a cool
hand, pack it in cling film and let rest 30 minutes in the
fridge. Butter the baking tin. Preheat the oven to 160 °C.
Mix almond paste and lemon juice. Preserve a little
dough for the topping, roll out the remaining dough and
line the tin. Divide the almond paste over the dough and
make a lattice of the remaining dough. Brush with left
over egg. Bake in the centre of the oven in approx. 45
minutes till golden and done. Remove from the oven,
glaze with apricot jam while hot and let cool. Remove
the baking tin and just before serving stir 1-2 tablespoons of water into icing sugar to make a thin glaze and
pour over.

Variations:
" AMANDELSPIJS" (ALMOND PASTE)
In a food processor mix 125 g almonds with 4 bitter
almonds, 125 g sugar, 1/2 egg and a little lemon rind
with 1-2 tbsp. lemon juice to form a smooth mix.

MINI "PENSEE" TARTS IN MUFFIN DISH
Butter a muffin plate and press into each opening a little
dough. Fill with almond paste, lattice with dough, brush
with beaten egg and bake 25 minutes in a preheated
oven.

WARM CHOCOLATE MILK

1 tbsp. sugar
1 tbsp. powdered cacao
1 1/2 dl milk

In a mug mix sugar and powdered cacao and add a little
milk to form a paste. Heat the remaining milk in a small
saucepan and pour into mug while stirring.

Variaties:
ANIJSMELK

1 Eetl. maïzena met een paar lepels melk gladroeren. Ca. 1 eetl. anijszaad in een doekje binden en met $1/2$ liter melk en een snufje zout langzaam aan de kook brengen. Er ca. 2 eetl. suiker doorroeren en de melk met de glad geroerde maïzena binden. De anijsmelk kort doorkoken. Het anijszaad verwijderen en de melk in 4 bekers gieten.

CHOCOLADETERRINE

Een cakevorm van $1/2$ liter met plasticfolie bekleden. In 2 bekers elk 2 blaadjes gelatine in koud water weken. In een glazen litermaat 100 g pure chocolade 1 minuut op 100% in de magnetron smelten. In een tweede litermaat 75 g witte chocolade op dezelfde manier smelten. De gelatine uit 1 beker uitknijpen en in ca. 10 seconden op 100% smelten. De gelatine door het donkere chocolademengsel roeren. De handeling herhalen en de gelatine door de witte chocolade roeren. Intussen $1/8$ liter slagroom stijfkloppen en de helft door de witte chocolade en de andere helft door de bruine chocolade scheppen. 3 Eiwitten schuimig kloppen, 75 g suiker toevoegen en au bain-marie stijfkloppen. De helft van het eiwit door de witte en de andere helft door de bruine chocolade scheppen. In de vorm eerst een laag bruine en daarop een laag witte chocolade gieten. De handeling herhalen tot de vorm tot de rand is gevuld. De terrine 4-5 uur in de koelkast laten opstijven. Een paar uur voor het serveren in de vriezer zetten, zodat de terrine in mooie plakken gesneden kan worden. Voor de saus 2 dl sinaasappelsap afgedekt op 100% in de magnetron in ca. 2-3 minuten aan de kook brengen. Intussen 2 eetl. aardappelmeel met 2 eetl. sinaasappellikeur gladroeren en het hete sap hiermee al roerend binden. De saus laten afkoelen. De terrine in plakken snijden en serveren met sinaasappelsaus en een Chinese kruisbes.

Variations:
ANISETTE MILK

Mix 1 tbsp. cornflour with a few tablespoons milk. Tie approx. 1 tbsp. anisette seeds in muslin and heat slowly in $1/2$ litre milk and a pinch of salt. Stir in approx. 2 tbsp. sugar and thicken with cornflour. Remove anisette seeds and pour into 4 mugs.

CHOCOLATE TERRINE

Line a $1/2$ litre oblong cake tin with plastic film. In 2 bowls each soften 2 sheets of gelatine covered with water. In the microwave oven melt 100 g bittersweet chocolate in a glass measuring jar 1 minute on Full Power. In the same way melt 75 g white chocolate in another measuring jar. Squeeze the gelatine from 1 bowl and melt it in approx. 10 seconds on Full Power. Stir the gelatine into the brown chocolate. Repeat with the white chocolate. In the meantime beat $1/8$ litre double cream to the consistency of yoghurt, fold half of it into the brown chocolate mix and half into the white chocolate mix. Beat 3 egg whites with the mixer, add 75 g sugar and beat au bain-marie to stiff peaks. Fold half of the beaten egg whites into the brown choclate mix and half into the white chocolate mix. Pour the two mixes in layers into the cake tin. Let the terrine set in the fridge for 4-5 hours. A few hours before serving place the terrine into the freezer so it can be sliced easily. For the sauce bring 2 dl orange juice in approx. 2-3 minutes on Full Power to the boil, mix 2 tbsp. potato flour with 2 tbsp. orange liqueur and stir into the juice to thicken. Let the sauce cool. Slice the terrine and serve with a few tablespoons of sauce and a Cape gooseberry.

VEENBESSENCOMPOTE

350 g veenbessen of cranberries (1 zak)
rasp van 1 sinaasappel
1 dl sinaasappelsap
150 g suiker

De veenbessen wassen. In een pan het rasp en sap met de suiker aan de kook brengen en de veenbessen toevoegen. De bessen ca. 10 minuten zachtjes koken. De compote laten afkoelen en in een schaal overdoen.

CRANBERRY COMPOTE

350 g cranberries
1 dl orange juice
grated rind of 1 orange
150 g sugar

Wash the cranberries. In a saucepan bring the orange juice with rind to the boil, add the cranberries and gently boil for approx. 10 minutes. Let the compote cool and spoon into a bowl.

Variatie:
VEENBESSENIJS

Maak een suikersiroop van 200 g suiker en 3 dl water. Voeg 350 g veenbessen toe en kook tot ze zacht zijn. Pureer de veenbessen in de siroop. Laat het mengsel afkoelen. Klop 125 ml slagroom stijf en roer de slagroom met 1 eetl. sinaasappellikeur door de puree. Draai het mengsel in een ijsmachine op.

Variation:
CRANBERRY ICE CREAM

Boil 200 g sugar with 3 dl water to a syrup. Add 350 g cranberries and boil these into a pulp. Mash the cranberries with the syrup and let it cool. Beat 125 ml double cream and fold in the mashed cranberry with 1 tbsp. orange liqueur. Churn the mixture in an ice making machine.

Vijfschaft / "Vijfschaft" (p. 142)

BOERENJONGENS
OVERIJSEL

350 g rozijnen
250 g suiker
1 stokje pijpkaneel
1 liter inmaak brandewijn

De rozijnen wassen en met ca. 1/4 liter water, de suiker en het kaneelstokje 10 minuten zachtjes laten koken. De rozijnen in het kookvocht laten afkoelen. De rozijnen met de suikersiroop in een goed schoongemaakte fles met wijde hals overdoen. De brandewijn erop schenken en de fles afsluiten. Op een koele donkere plaats minimaal 2 maanden bewaren.

> Boerenjongens (brandewien met rozienen) was een typisch bruilofsdrankje in Overijsel. Het werd geserveerd in wijde glaasjes op steel met een speciaal klein lepeltje. Deze speciale glaasjes werden ook wel likeurglaasjes genoemd. Met de traditie zijn ook de glaasjes en de lepeltjes verdwenen.

BOERENMEISJES

350 g gedroogde abrikozen
2 dl water
400 g suiker
2 zakjes vanillesuiker
1 eetl. geraspte citroenschil
1 liter inmaak brandewijn

De abrikozen wassen. Het water met de abrikozen, de suiker, vanillesuiker en citroenrasp aan de kook brengen en 5 minuten zachtjes laten koken. De abrikozen in het kookvocht laten afkoelen en 1 dag laten staan. De abrikozen met het kookvocht in een goed schoongemaakte fles met wijde hals overdoen. De brandewijn erop schenken en de fles afsluiten. Op een koele donkere plaats minimaal 2 maanden bewaren.

"BOERENJONGENS"
(FARM BOYS) PROVINCE OF OVERIJSSEL

350 g raisins
250 g sugar
1 cinnamon stick
1 litre brandy for preserving

Rinse the currants and simmer with approx. 1/4 litre water, sugar and cinnamon stick 10 minutes. Let cool. Put raisins and cooking liquid into a well cleaned glass bottle with a wide neck. Add the brandy and close the bottle. Keep at least 2 months in a cool, dark place before serving.

> "Boerenjongens" (brandy with raisins) was a typical drink served at weddings in the Province of Overijssel. It was served in a special small, wide glass on a stem with a special small spoon to eat the raisins. Liqueur glasses were also used as substitute.

"BOERENMEISJES"
(FARM GIRLS)

350 g dried apricots
2 dl water
400 g sugar
2 sachets vanilla sugar
1 tbsp. grated lemon rind
1 litre brandy for preserving

Rinse the apricots. Bring water, apricots, sugar, vanilla sugar and lemon rind to the boil and simmer 5 minutes. Cool the apricots in the cooking liquid and leave for a day. Put apricots and cooking liquid into a well cleaned glass bottle with a wide neck. Add the brandy and close the bottle. Keep at least 2 months in a cool, dark place before serving.

APPELBEIGNETS
CA. 20 STUKS

5 appelen
sap van $1/2$ citroen
2 eetl. suiker
1 theel. kaneel
150 g zelfrijzend bakmeel
1 $3/4$ dl melk
1 ei
zout
frituurolie
poedersuiker

De appelen schillen, het klokhuis met een appelboor verwijderen en de appelen in schijven van 1 cm dik snijden.
De plakken appel met citroensap besprenkelen en met
een mengsel van kaneel en suiker bestrooien. De appel
tot gebruik laten staan.
Van het bakmeel, de helft van de melk, het ei en zout
naar smaak met een garde een glad beslag kloppen. Het
beslag met de resterende melk verdunnen. De frituurolie
verhitten tot 180 °C. De schijven appel een voor een
door het beslag halen en in de hete frituurolie met niet
meer dan 3 tegelijk bruin bakken. De appelbeignets met
een schuimspaan uit de pan scheppen en op keukenpapier laten uitlekken. De appelbeignets met poedersuiker
bestuiven.

APPEL BEIGNETS
MAKES APPROX. 20

5 apples
juice of $1/2$ lemon
2 tbsp. sugar
1 tsp. cinnamon
150 g self raisinig flour
1$3/4$ dl milk
1 egg
salt
oil for frying
icing sugar

Peel and core the apples and cut into 1 cm slices. First
sprinkle the slices with lemon juice and then with a mixture of sugar and cinnamon. Let stand.
Beat self raising flour, half the milk, egg and salt to taste
into a smooth batter. Dilute with the remaining milk.
Heat the oil to 180 °C. Coat the apple slices one at the
time with the batter and fry them golden in the hot oil,
no more than 3 at the time. Remove with a slotted spoon
and drain on papers towels. Sift over icing sugar.

BLOEDWORST MET GEBAKKEN APPEL

4 plakken bloedworst van ca. 1$1/2$ cm dik
3 eetl. bloem
2 zure appelen
45 g boter

De appelen goed wassen (niet schillen), het klokhuis met
een appelboor verwijderen en de appelen in plakken
snijden. Het vel van de worst verwijderen. De bloem op
een bord strooien, de plakken bloedworst erdoor halen
en naast elkaar op een droge plank leggen. In een koekenpan eenderde van de boter verhitten en hierin de
schijven appel lichtbruin bakken. In een tweede koekenpan de resterende boter verhitten en de plakken bloedworst snel op middelhoog vuur aan beide kanten bruin
bakken. De bloedworst met de appel en grof gesneden
spitskool serveren.

BLACK PUDDING WITH FRIED APPLE

4 slices black pudding of 1$1/2$ cm
3 tbsp. flour
2 tart apples
45 g butter

Wash but don't peel the apples, remove the core and slice
the apples. Remove the skin from the black pudding.
Sprinkle the flour in a plate, coat the slices of black pudding and place these next to each other on a wooden
carving board. Heat 1/3 of the butter in a frying pan and
fry the apple slices till golden. In a second frying pan
heat the remaining butter and on medium heat quickly
fry the black pudding till brown on both sides. Serve the
black pudding with the apple slices and coarsly diced
comical cabbage.

Bloedworst met gebakken appel / Black pudding with fried apple (p. 139)

Oliebollen en appelbeignets / "Oliebollen" and Apple beignets

OLIEBOLLEN
CA. 12 STUKS

50 g krenten en 50 g rozijnen
10 g verse of $^1/2$ zakje gedroogde gist
1 theel. witte basterdsuiker
$2^1/2$ dl lauwe melk
250 g bloem
frituurolie
poedersuiker

De krenten en rozijnen in heet water 30 minuten wellen. In een kom de verse gist met de basterdsuiker in 1 dl lauwe melk oplossen en tot een glad papje roeren. De bloem in een mengkom strooien, in het midden een kuiltje maken en het gistmengsel erin gieten. De rest van de melk erop gieten en van de ingrediënten een glad beslag roeren. De krenten en rozijnen in een zeef laten uitlekken, met keukenpapier droogdeppen en voorzichtig door het beslag spatelen. De kom met een vochtige theedoek afdekken en het beslag een uurtje op een warme plaats laten rijzen. De frituurolie tot 180 °C verhitten. Met 2 natte lepels mooie ballen van het beslag vormen en deze voorzichtig in de hete frituurolie in ca. 2-3 minuten bruin en gaar bakken. De oliebollen op keukenpapier laten uitlekken, op een schaal overdoen en met poedersuiker bestrooien.

"OLIEBOLLEN"
MAKES APPROX. 12

50 g currants and 50 g raisins
10 g fresh yeast or $^1/2$ sachet dry yeast
1 tsp. soft white sugar
$2^1/2$ dl luke warm milk
250 g flour
oil for frying
icing sugar

Soak currants and raisins 30 minutes in hot water. In a small bowl dissolve yeast and sugar in 1 dl luke warm milk. Place the flour in a mixing bowl, make a well in the centre and pour in the yeast mixture. Pour on the remaining milk and beat ingredients to a smooth batter. Drain currants and raisins, dry with paper towels and carefully spoon them into the batter. Cover the mixing bowl with a damp towel and let rise 1 hour in a warm spot. Heat the oil to 180 °C. With the aid of 2 spoons form balls out of the batter, drop these into the hot oil and fry 2-3 minutes till brown and done. Drain the "oliebollen" on paper towels, place them on a serving plate and sift over icing sugar.

DRIEKONINGENBROOD

500 g bloem
zout
25 g gist of 1 zakje gedroogde gist
1 theel. suiker
2 dl lauwwarme melk
125 g gesmolten boter
1 eierdooier
50 g amandelspijs
1 blanke amandel
poedersuiker

De bloem en het zout boven een mengkom zeven en een kuiltje in het midden maken. De gist met de suiker door de lauwwarme melk roeren tot deze is opgelost. Het gistmengsel in het kuiltje gieten en met de wat afgekoelde boter en de eierdooier tot een samenhangend deeg kneden. Het deeg onder een vochtige doek op een warme plaats laten rijzen tot het in volume is verdubbeld (ca. 45 minuten). Vervolgens de amandelspijs door het deeg kneden en van het deeg een bol vormen. De amandel in het deeg stoppen. Het deeg op een met bakpapier beklede bakplaat leggen en onder een vochtige doek opnieuw 30 minuten laten rijzen. De oven voorverwarmen op 200 °C.

De bol aan de zijkanten zo in knippen dat er een kroon ontstaat en aan de bovenkant de vorm van een ster in knippen. Het deeg ca. 30 minuten midden in de voorverwarmde oven bruin bakken. Het brood laten afkoelen. De bovenkant van het brood met gesmolten boter bestrijken en met poedersuiker bestrooien.

> In het driekoningenbrood werd vroeger een geldstuk, later een boon en tegenwoordig een amandel meegebakken. Degene die de boon (amandel) in het brood aantrof, was de koning van het feest.

TWELFTH-NIGHT CAKE

500 g flour
salt
25 g fresh or dry yeast
1 tsp. sugar
2 dl lukewarm milk
125 g melted butter
1 egg yolk
50 g almond paste
1 white almond
icing sugar

Sift the flour and salt into a bowl and make a well in the centre. Dissolve yeast and sugar in the lukewarm milk, pour into the well, add butter and egg yolk and knead into a smooth dough. Cover with a damp cloth and let rise in a warm spot for approx. 45 minutes till double the volume. Knead the almond paste into the dough, form a bal and press the almond into it. Place the dough on a baking tin lined with waxed paper, cover with a damp cloth and let rise 30 minutes more. Preheat the oven to 200 °C.

With scissors cut the sides of the bal into a crown shape and the top into a star. Bake the bread in approx. 30 minutes till golden and done. Let the bread cool. Spread the top with melted butter and sift icing sugar over it.

> In the past a Twelfth-Night cake contained a coin, this later became a dried bean and nowadays an almond is baked inside the bread. The person to get coin, bean or almond will be king of the festival.

VIJFSCHAFT
UTRECHT

100 g bruine bonen
100 g ontbijtspek
3 kleine winterwortelen (500 g)
2 grote uien
1 zure appel
1 kg aardappelen
50 g boter
1 eetl. aardappelmeel
snufje zout

De bonen 1 nacht in ruim koud water weken. Het spek in blokjes snijden en in een droge koekenpan langzaam uitbakken tot het bruin en krokant is. De winterworte-

"VIJFSCHAFT"
PROVINCE OF UTRECHT

100 g kidney beans
100 g bacon
3 carrots (500 g)
2 large onions
1 tart apple
1 kg potatoes
50 g butter
1 tbsp. potato flour
pinch salt

Soak the beans covered with cold water over night. Cube the bacon and fry in a dry frying pan till brown and crisp. Clean and coarsly grate the carrots. Peel and

len schoonmaken en op een grove rasp raspen. De uien pellen en in dunne ringen snijden. De appel schillen, in stukken snijden en het klokhuis verwijderen. De aardappelen schillen en in vieren snijden. De bonen met de wortel, ui en appel in een pan met zo veel water tot alles onderstaat aan de kook brengen en 10 minuten zachtjes doorkoken. De aardappelen met zout naar smaak toevoegen en alles in ca. 20 minuten gaar koken. Het kookvocht boven een pan afgieten en met aangelengd aardappelmeel binden. Het spek door de saus roeren en de saus apart erbij serveren.

thinly slice the onions. Peel and core the apple. Peel and quarter the potatoes. Place the drained beans, carrot, onion and apple in a pan, cover with water, bring to the boil and simmer 10 minutes. Add potatoes with salt to taste and cook till done in approx. 20 minutes. Pour off the cooking liquid and thicken it with potato flour mixed with water. Spoon the bacon into the sauce and serve the sauce seperately.

Typisch Hollands

Op oudejaarsavond staat in elk Nederlands gezin een schaal met appelbeignets of oliebollen rijkelijk bestrooid met poedersuiker op tafel waarvan de hele avond wordt gegeten. En vroeger stond in vrijwel elk dorp of stad tijdens de jaarswisseling een speciale oliebollenkraam, waar oliebollen, appelbeignets en appelflappen werden gebakken en verkocht. Ook werd gebakken door het verenigingsleven, bijvoorbeeld het plaatselijke muziekcorps, welk gebak voor de aanschaf van nieuwe kleding en instrumenten werd verkocht. Tegenwoordig verkoopt menig bakker het oudejaarsgebak. En ook thuis wordt nog altijd door velen zelf gebakken. Vaak niet in de keuken, vanwege de vette aanslag en de geur, maar in de schuur of de garage. In sommige families is gewoonte dat het beslag door de huisvrouw wordt gemaakt en dat de mannen – vaak onder het genot van een glaasje jenever of cognac – het bakken voor hun rekening nemen.

Typically Dutch

On New Year's Eve in every household in Holland a large serving plate filled with apple beignets and "oliebollen" liberally dusted with icing sugar is to be found on the table. They are eaten all night long. In the past around this time a special stall which sold "oliebollen", apple beignets and "appelflappen" was to be found in nearly every village or city. But also clubs, like the local music band would prepare and sell these special treats and use the money thus earned to buy new costumes and instruments. In modern times most bakeries sell the New Year's Eve specialties. Many people still make them at home too. Often not in the kitchen but in the shed or garage because of the bad smell and oily residue of the deep frying. Some families consider the preparation of the batter a task for the women and the frying to be done by the men, often while partaking in a little Genever or Cognac.